D0285371

MON AMIE AMÉRICAINE

MICHÈLE HALBERSTADT

MON AMIE AMÉRICAINE

roman

ALBIN MICHEL

Pour Arthur, mon fils

« If the sky above you
Grows dark and full of clouds
And that old north wind begins to blow
Keep your head together
And call my name out loud
Soon, you'll hear me knocking at your door. »

Carole King, « You've got a friend »

J'étais descendue acheter des pastilles au miel. J'avais des picotements dans la gorge, le nez bouché, un début d'angine. Il était vingt-deux heures, la pharmacie allait fermer. Au loin, un ballet de grues signifiait que les décorations de Noël étaient en cours d'installation sur les Champs-Élysées, avec du tulle blanc pour travestir les platanes en bonbons géants.

J'ai remonté les six étages à pied, histoire de transpirer pour évacuer le rhume. Le temps de tourner la clé, de pousser la porte, Vincent avançait vers moi avec un air désolé que je ne lui connaissais pas. Je l'avais déjà vu abattu, déprimé. Là, c'était différent. C'est pour moi qu'il était embêté, comme un médecin vous annonce sans gaieté de cœur une mauvaise nouvelle, parce qu'il n'a pas le choix.

Aussitôt j'ai pensé à toi, si fort que je l'ai dit à voix haute, mais ce n'était plus une question, déjà une évidence : « Molly ? »

Il a hoché la tête, si tristement qu'il semblait la bouger au ralenti. « Elle est dans le coma. »

J'ai poussé les deux mains devant moi pour l'interrompre. Je ne voulais pas qu'il m'explique. Je ne voulais rien entendre, rien comprendre, rien échanger. J'ai ouvert la porte de la chambre. J'ai pris soin de la refermer derrière moi.

Seule. J'avais besoin d'être seule, pour affronter le vacarme qui grondait dans ma tête. C'était comme si mille personnes s'étaient connectées à mon cerveau pour y brouiller les données et m'empêcher de réfléchir.

Je me suis assise dans le fauteuil sans allumer la lumière. Une touche rouge clignotait sans bruit sur le clavier du téléphone. La pénombre lui donnait une teinte écarlate et j'ai pensé que cela tombait bien, que le rouge était la couleur du cri, de l'urgence, de la peur. Dans mes veines, le sang était comme une vague immense qui, après avoir tout envahi, se serait brusquement retirée. Moi qui avais si chaud, soudain j'étais glacée. Mon cœur battait au rythme de la lueur qui clignotait toujours, imperturbable, entêtante, comme une sirène d'ambulance dont on aurait coupé le son.

Des images de toi passaient devant mes yeux. Dansant les yeux fermés en chantant du Tina Turner, dans ta cuisine. Essayant toutes les lunettes de soleil d'une boutique gare de Lyon sans en acheter aucune. Déguisée en blonde à une soirée costumée. Dévorant un hot-dog la semaine dernière, dans une rue de Londres. À l'aéroport il y a cinq jours, achetant une cartouche de cigarettes. Ta silhouette frêle traînant la valise trop lourde que tu n'avais pas voulu enregistrer. Ton parfum à la violette quand tu m'as embrassée pour me dire au revoir. Ton sourire quand tu t'es retournée pour me crier : « Bon voyage ! » Ta voix rauque. Moqueuse. Inimitable.

Je ne savais pas que je pouvais fabriquer autant de larmes.

Molly, il faut que je te parle. Même si tu ne m'entends pas. Les paroles que je ne peux pas échanger avec toi m'étouffent. Alors je vais t'écrire. Pas pour consigner mes faits et gestes, mais pour te raconter ce qui se passe pendant la durée, indéterminée, de ton absence. Tenter de comprendre ce qu'on vit si différemment toutes les deux. Je vais essayer de trouver les mots.

Je ne vais pas les coucher sur le papier, comme on dit. L'expression est jolie, mais elle est bien trop douce. Moi, les mots, je les tape. Mes deux index courent sur le clavier de l'ordinateur avec véhémence. Je frappe comme je suis : en dilettante, trop vite, trop fort et souvent à côté de la touche que je pensais viser. La précipitation, l'imprécision, l'amateurisme, tout ce que je déteste en moi. Le contraire de toi, toujours posée, organisée. Tu tapes comme une sténo de cinéma, à toute allure, la clope au bec, décontractée, sans jamais regarder tes mains qui pianotent nonchalamment leur ballet à dix doigts.

Tu ne m'as jamais écrit. Tu préfères me téléphoner.

Il est quatorze heures chez toi, à New York. Tu viens d'avaler un bagel au saumon à ton bureau, et tu t'apprêtes à entamer ton deuxième paquet de cigarettes mentholées de la journée. Tu as d'abord composé mon numéro et, après quelques minutes de conversation, je t'entends ôter la cellophane et glisser la cigarette entre tes lèvres. Cela déforme ta voix le temps de la première bouffée, que tu inspires comme on exulte, avec délectation.

Maintenant, je sais que tu vas pouvoir te concentrer sur ce que je te raconte. Ou bien c'est toi qui parles la première, alors tu attends d'avoir dit ce que tu avais sur le cœur avant d'actionner ton briquet.

Tu disais que tu arrêterais de fumer quand tu aurais trouvé un homme pour te faire des enfants, une grossesse étant, assurais-tu, l'unique façon de te faire renoncer à tes trois paquets quotidiens.

Tu ignorais que la maladie était un autre moyen de parvenir à l'abstinence.

Il n'y a pas de zone fumeurs en salle de réanimation.

Un coma, en allemand, c'est un mot qui se prononce comme en français mais qui s'écrit autrement et veut dire autre chose. Un *Komma* signifie une virgule. Une pause entre deux mots. Dans ton cas, entre deux territoires : le sommeil et le réveil. Repose-toi, Molly, le temps que tu voudras. À condition que tu te réveilles.

Si tu savais à quel point je t'en veux ! Combien de fois depuis dix ans t'ai-je répété que tu devrais consulter un spécialiste, au lieu de faire l'autruche ! J'avais eu du mal à t'expliquer le sens de cette expression, qui t'avait beaucoup amusée. Quelques mois plus tard, tu m'avais rapporté du sable d'une plage de Bahia et tu avais écrit au feutre bleu, sur la bouteille en plastique que tu avais remplie : « Ouvre, ma tête est dedans. »

Sur ta planète Virgule, il n'y a ni sable ni cailloux. Simplement ta conscience, que tu as pour mission de rapporter intacte.

C'est curieux comment on peut se raconter des histoires pour ne pas affronter la réalité. Un long week-end sans réussir à te joindre. Je sentais que ce n'était pas normal. Je me disais : « On vient de rentrer de Londres, avec la fatigue, le décalage horaire, elle doit être débordée. » Comme si cela t'avait jamais empêchée de donner de tes nouvelles, de laisser un message, de répondre aux miens. Il y a eu un lundi férié aux États-Unis, durant ces quelques jours, j'ai pensé que tu avais dû partir. Comme si tu prenais des congés intempestifs, toi qui les planifies toujours car tu détestes l'improvisation.

J'ai essayé de joindre tes associés. Sans succès. Leur secrétaire était sur messagerie. Personne ne m'a rappelée. Quant à Tom, il n'est ton assistant que depuis quelques mois, je ne le connais pas. Je n'ai pas osé lui laisser un message.

Le matin du jour où tu as perdu connaissance, j'étais dans la salle de bains et j'ai entendu ton horoscope à la radio : « Taureaux, aujourd'hui, vous aurez besoin de l'amour de vos proches. » Bêtement, j'ai pris ça pour un heureux présage.

On est samedi après-midi et il fait un temps épouvantable. Tant mieux. Cela va bien avec mon humeur. J'ai fondu en larmes dans la cuisine, tout à l'heure. La radio passait un vieux tube français « C'est la fête » et sa gaieté exubérante m'a cueillie comme seule peut le faire une chanson. Une sensation venue de loin, du fond de la mémoire, qui va directement au cœur. J'étais debout devant la fenêtre, je faisais infuser du thé. Ce morceau de musique m'a coupé les jambes.

Je me suis assise d'un coup et les enfants qui prenaient leur goûter me sont tombés dans les bras avec effroi. Ils ne m'avaient jamais vue pleurer. Qu'est-ce que je peux leur expliquer ?

Clara court chercher le kangourou géant que tu lui as offert. C'est sa peluche préférée. Elle est si haute qu'elle s'est longtemps lovée dedans. Benoît s'énerve de ne pas savoir de qui nous parlons, alors je lui montre une photo de toi, sur laquelle tu tentes de retenir un chapeau de paille qui s'est peut-être envolé l'instant suivant. Tu es dans un jardin, il y a du soleil, tu parles à quelqu'un qu'on ne voit pas, le photographe peut-être. Il a réussi à immortaliser cette moue qui chez toi précède un sourire. Benoît te regarde intensément. Il dit que tu es belle et ajoute : « Elle a l'air gentille, pourquoi elle te fait pleurer ? » Je lui explique que tu es allongée dans un lit d'hôpital, que je ne sais pas très bien pourquoi et que tu dors si profondément que tu n'entends pas quand on te parle. Clara me dévisage intensément, comme si elle devinait tout ce que je garde pour moi, tandis que Benoît sourit, tellement la raison lui semble évidente. « Elle attend que le prince charmant vienne lui faire un baiser ! » Je réponds que dans la réalité c'est parfois compliqué de réveiller une princesse. Il hausse les épaules. « Il faut que tu lui prêtes ton réveil, alors. »

Si seulement il avait raison ! J'actionnerais toutes les sirènes de Manhattan si elles pouvaient te ramener à la vie. Et aussi celle des pompiers qui, à Paris, retentit à midi pile le premier mercredi de chaque mois. Quand j'étais petite, j'étais persuadée qu'il y avait un message caché dans cette alerte. Tant de bruit ne pouvait pas servir uniquement à indiquer le jour et l'heure. C'était un message codé, j'en aurais mis ma main à couper. Peut-être signalait-il le début de la fin du monde ? Pourquoi personne n'y prêtait attention ? J'avais si peur que je me mordais l'intérieur des lèvres jusqu'au sang. Puis la sonnerie s'arrêtait comme par miracle, mais je continuais à scruter l'horizon pour guetter le moment où il ferait nuit en plein jour, et alors tout le monde comprendrait que c'était un signal mais il serait déjà trop tard…

À New York, les sirènes des voitures de police rivalisent en permanence avec celles des ambulances. L'une d'entre elles a dû t'accompagner à l'hôpital. Mais tu ne l'as pas entendue. Tu étais déjà coupée du monde. Égarée sur la planète Virgule. Cette terre inconnue que chacun redoute de visiter un jour et que tu es partie découvrir seule.

Je préfère t'imaginer en mission, en reportage, impatiente de partager avec moi dès ton retour tout ce que tu auras découvert. Est-ce qu'il y a des sons, des couleurs ? Des paysages éblouissants ? Est-ce un désert aride ? Un vertige, un trou noir ? Une nuit brutale ? Un long cauchemar ? Il paraît que tu fronces les sourcils. Tu ne serais pas en état de souffrance. Les médecins l'ont assuré. Mais qui peut en être certain ? Comment savoir ce que tu ressens ?

Molly, ma douce, toi qui affrontes le pire, avoue que tu n'étais vraiment pas armée pour ça. Toi le rat des villes, qui sursautes au moindre bruit, que le voisinage d'un insecte rend hystérique, toi qui grimpes sur une chaise à la vue d'une souris. Toi qui as peur du noir, du vide, de l'avion, des ponts et des ascenseurs. Toi qui fuis la gymnastique, la course à pied, le sport, le moindre effort physique. Toi l'Américaine bourrée de vitamines, toi qui ne te fais jamais à manger correctement, toi qui ne jures que par les surgelés et qui manges les yaourts un mois après la date de péremption. Toi qui vénères le soleil à outrance, toi qui ne sais jamais si tu es vaccinée contre le tétanos, toi qui suces de l'aspirine comme s'il s'agissait de pastilles à la menthe, toi qui abuses des cheese-cakes et des milkshakes au chocolat. Toi qui te dopes à coups de cappuccinos et de Coca Light. Toi qui jures comme un charretier et siffles comme un garçon, avec deux doigts dans la bouche. Toi la fille la plus fleur bleue que j'aie jamais rencontrée. Toi mon incorrigible contraire, toi que j'ai toujours trouvée si merveilleusement déraisonnable. Reconnais que, de nous deux, tu étais la moins équipée pour expérimenter ce qui t'est tombé dessus : cette perte de conscience, ce pile ou face infernal, suspendu dans le temps, durant lequel tu tournes indéfiniment sur toi-même, comme une pièce que le sort a lancée en l'air sans qu'on sache de quel côté elle retombera, ni même si elle retombera un jour.

Je t'imagine, avec cette pièce en guise de selle, accrochée à elle, comme une pin-up de bande dessinée chevauchant la bombe atomique, crinière au vent et sourire enjôleur, totalement indifférente à ce compte à rebours qui sonne le glas de sa monture. Tic-tac. Tic-tac…

« Viens, petite fille, dans mon comic strip
Viens faire des bull's, viens faire des WIP !
Des CLIP ! CRAP !, des BANG, des VLOP ! et des ZIP !
SHEBAM ! POW ! BLOP ! WIZZZ... »

Je sais, c'est ridicule, mais je préfère encore t'imaginer avec la voix de Bardot dans la chanson de Gainsbourg, les seins bombés, la bouche entrouverte, aguicheuse et mutine, plutôt que te savoir gisante et muette, les bras troués par les perfusions.

Tu sais ce que je faisais, pendant que tu tombais le long de ta fenêtre au dix-huitième étage de ton bureau sur Madison Avenue ? Je m'achetais des chaussures. Toi qui en as cinquante-huit paires. Enfin, c'était le chiffre officiel selon le compte qu'on en avait fait ensemble il y a quatre mois. Depuis, il y a bien eu quelques soldes et autres promotions auxquels tu n'as sûrement pas pu résister. Et encore, tu ne m'avais pas laissée inclure les sandales, tongs, espadrilles et autres nu-pieds qu'on réserve habituellement au bord de mer. « Justement, ce sont des chaussures de vacances, elles ne comptent pas. » Mais si je les ajoutais, on frôlerait les cent, tu ne crois pas ?

Cent paires de chaussures. Tu disais que je ne savais pas en apprécier la beauté parce que j'étais une *shoe killer*. C'est vrai que n'importe quelle paire achetée par moi se transforme, se déforme, s'avachit, et prend, en moins d'une semaine, un air usé, défraîchi. Mais les tiennes, qu'est-ce qu'elles vont devenir ? Est-ce que quelqu'un a eu l'idée d'aérer les tiroirs dans lesquels tu les ranges par hauteur et par catégorie ? Est-ce que des chaussures dépérissent quand leur propriétaire les abandonne ? Peut-être est-ce pour cela que le prince charmant dont parle Benoît traversa tout le royaume avec sa pantoufle de vair. Parce qu'il la sentait esseulée, malheureuse, triste à mourir, sans sa fidèle moitié.

Si j'étais à New York, j'irais glisser ma main dans chacune d'elles. Je n'y aventurerais pas les pieds : je fais deux pointures de plus que la tienne. Puis je les coucherais sur le flanc, posées sur du papier de soie, comme tu le fais dans les chambres d'hôtel où, à cause de tes multiples paires, tu as toujours emporté une valise de plus que moi.

Tu es la championne des bagages. Toujours le dernier cri en matière de roulettes, de revêtement, toujours à la recherche du meilleur rapport taille-encombrement. Mais quels que soient ceux avec lesquels tu voyages, tu as aussi le don, très personnel, d'en gâcher l'esthétique en les affublant de tes affreuses étiquettes rose fuchsia en forme de cœur, un comble en matière de mauvais goût. Je n'ai jamais su où tu achetais ces horreurs. Je n'ai jamais cherché, non plus. En fait, Molly, si j'adorais me moquer de tes labels fuchsia, c'était surtout pour le plaisir de t'entendre me dire ton expression française favorite avec ton accent à couper au couteau : « Tu me casses les pieds. »

C'est peut-être ton prochain déménagement qui t'a épuisée. Tu étais si contente de changer de quartier, d'aller dans un plus bel immeuble, d'y avoir une terrasse, et un concierge à livrée. La dernière virée shopping qu'on ait faite, c'était pour choisir une table à rallonge pour ton futur balcon avec vue sur l'Hudson. Tu te faisais une joie des dîners que tu allais y donner. J'avais prévu de t'offrir un parasol à gaz avec un faux air de lampadaire, pour dîner dehors. Tu comptais pendre la crémaillère au printemps.

Depuis trois mois, tu ne parlais que de ça, même si tu redoutais de devoir mettre de l'ordre. Ranger sa vie dans des boîtes. Tout passer en revue. Trier les souvenirs. Ça peut rendre malade. Déménager, c'est écouter chaque objet nous rappeler son histoire. Il y a ceux dont on hérite, ceux achetés sur un coup de tête, ceux qui nous ont été offerts par des intimes, des amis, parfois des anciens soupirants. Tout revient d'un seul coup. Les odeurs de l'enfance. Certains paysages. D'anciens lieux de vie. Des sentiments violents. Des cris, des rires. La bande-son qui accompagne tout un pan de notre vie d'avant. Des souvenirs qui nous font réévaluer le présent et jettent une lumière pas toujours positive sur l'avenir. Qu'a-t-on gagné, qu'a-t-on perdu, depuis que ces objets, ces habits, ces tableaux, ces livres, ces musiques sont entrés dans nos vies ? Combien d'occasions d'être heureux, de l'avoir été ou d'avoir failli l'être ? Le tout réévalué à l'aune du temps qui a passé et de l'âge qu'on a pris. De quoi sombrer dans la mélancolie.

Enfin, je parle pour moi. Toi, tu cultives les souvenirs, on peut même dire que tu vis avec. Partout dans ton deux-pièces, sur les murs, les meubles, même sur la porte des toilettes et le réfrigérateur, tu as mis des photos. Celles de ta famille et de tes amis sont assemblées pêle-mêle, dans un patchwork qui n'a de sens que pour toi. Les clichés de ceux avec lesquels tu travailles depuis vingt ans sont encadrés, bien en évidence. Qu'il s'agisse de personnalités connues ne te dérange pas. Au contraire.

Cela a été source d'innombrables discussions entre nous. « Pour une fois, disais-tu en riant, c'est la Française la plus puritaine des deux ! » Sans doute. Ce n'est pas que cette exposition me mette mal à l'aise. Quoique. Cela aussi. On n'expose pas ainsi sa vie, on n'étale pas le visage des célébrités qu'on côtoie régulièrement. Notre profession ne regarde que nous, après tout. Tu figures sur chacun des tirages comme si tu tenais à immortaliser l'instant, comme la pire des midinettes. Pour quoi faire ? Pour qui ? Pour toi ? Mais cet instant, tu l'as vécu, il est inscrit dans ta mémoire. D'où vient cette volonté d'en conserver un souvenir tangible ? Pourquoi as-tu besoin de ces photos ? Qu'as-tu à prouver ? Tu disais que ton vrai métier, c'était d'être fan, que tu avais voulu travailler dans le cinéma pour devenir une groupie professionnelle. Tu m'as un jour avoué avoir fait la queue sous la pluie dix heures durant pour obtenir un autographe de Tina Turner. Tu assumais de te sentir encore et toujours grisée de fréquenter quotidiennement des vedettes. Tu lisais la presse people avec délectation.

Lorsque, à une soirée des Oscars, une photo a été prise avec ton bras passé sous celui d'Almodóvar, tu as acheté des dizaines d'exemplaires du magazine. On ne voyait même pas ton visage…

Je n'ai jamais réussi à te faire admettre que cet étalage partout chez toi avait quelque chose de trouble, d'immature. Tu te moquais de mon incapacité à prendre les choses avec légèreté. Tu trouvais que ma gêne devant ces photos était plus louche que le plaisir que tu éprouvais à vivre entourée d'elles. Je t'appelais Miss Desmond, comme l'actrice américaine incarnée par Gloria Swanson, qui souffre de ne plus être une star adulée du muet dans *Sunset Boulevard*.

Maintenant, je m'en veux de t'avoir raillée si souvent. Peut-être, au fond de toi, voyais-tu dans ces clichés la preuve de ta réussite ? Puisque ton métier était toute ta vie ? Je pense à ton appartement désert, à ces photos de toi, à ton sourire éclatant sur chacune d'elles. Toutes ces traces de ta vie scintillante. Y penser m'arrache le cœur.

Molly, depuis huit jours, tu es dans une chambre seule. Je ne suis pas certaine que cela soit bon signe. Après plus d'un mois, il est admis maintenant que ce coma va durer.

Je sais que chaque matin, des infirmières viennent te masser. Est-ce possible que tu ne les sentes absolument pas ? Ou bien es-tu suspendue au-dessus de ton corps ? Est-ce que tu les regardes s'affairer avec étonnement ? Curiosité ? Indifférence ?

Tu es toujours reliée à tes machines : d'un côté celles qui t'aident à respirer, à te nourrir, de l'autre celles qui mesurent l'état de tes forces. Il est interdit de t'approcher sans avoir revêtu une tenue de cosmonaute : le corps recouvert d'une couche plastifiée bleu pâle, chaussures incluses.

Il paraît que ta chambre ne comporte que du matériel médical. Ni fleurs, ni dessins, pas de petits mots, pas d'objets, pas de bougies, aucune pacotille. Tu penses bien que j'ai tout essayé.

Autour de toi, on s'organise. Tu serais contente de voir tes amies se concerter. Je ne sais pas si tu as deviné à quel point nous étions jalouses les unes des autres. Tu avais bien tissé ta toile à travers le monde. Une amie à Rome, l'autre à Berlin, une troisième à Londres, et moi, la Parisienne. Chacune était intimement persuadée de t'être la plus proche. Et, à sa façon, chacune avait raison. C'est comme si tu avais divisé ta personnalité en quatre parties égales.

La Berlinoise était ta mère de substitution. Tu te mettais sous sa protection. Elle représentait la consolation, l'assurance d'être entendue sans être jugée. La Londonienne était ta jumelle névrosée, le côté face dont tu étais le pile. À elle la boulimie, à toi les régimes. À vous deux, les mêmes complexes. L'Italienne était ta cousine exotique, celle qu'on admire sans la jalouser, parce qu'elle est si différente qu'on ne peut même pas lui en vouloir d'être belle, brillante, sophistiquée. Pour toi, l'Américaine née à Brooklyn, elle incarnait la culture européenne dans ce qu'elle a de plus raffiné.

Et moi dans tout ça ? Je suis arrivée la dernière. On avait en commun la même profession, quasiment le même âge, une culture juive ashkénaze, le même sens de l'humour et un prénom commençant par la même initiale. Chacune était ce que l'autre aurait pu devenir, si les cartes avaient été mélangées et distribuées autrement. Oui, j'aurais pu être cette fillette élevée à Brooklyn, par une mère au foyer et un père dentiste, complexée par deux sœurs plus délurées, ayant déserté dès dix-sept ans le nid familial, pour fuir l'ambiance étriquée de cette petite bourgeoisie conventionnelle, qui respectait à la lettre les préceptes d'une judaïté étouffante. Je serais devenue une célibataire endurcie et je passerais ma vie, comme toi, à parcourir le monde, à défaut d'avoir fondé une famille.

Toi, tu aurais pu grandir à Paris dans une famille moins traditionaliste mais tout aussi pesante. Tu aurais poussé tes études un cran plus loin, tu aurais un mari, des enfants, tu vivrais à Paris, et le plaisir de voyager pour ton travail serait gâché par la culpabilité de déserter le foyer. Et aujourd'hui, tu te sentirais dépossédée par cet autre toi-même cloué sur un lit d'hôpital. Comme moi, tu serais frustrée de ne pas pouvoir lui parler ni l'entendre. Tu vivrais dans l'inquiétude, l'attente, les questions inutiles. Tu passerais des heures sur des forums médicaux à tenter de comprendre ce qui est arrivé.

Tu serais sans doute plus rationnelle, moins impatiente que moi. Tu aurais sûrement, comme tu en as l'habitude, rempli ton sempiternel tableau à deux colonnes : celui où tu listes les pour et les contre. Tu disais que ça t'aidait à y voir clair. J'ai toujours pensé que c'était inutile.

Cette fois, rien que pour toi, je veux bien essayer.

Les plus : tu es dans la force de l'âge, quarante ans à peine ; tu es combative et j'espère que tu le restes, même dans le coma ; tu es rarement malade, jamais fatiguée ; tu as toujours dit que tu avais l'énergie du désespoir. C'est le moment d'en faire usage.

Les moins : ton coma dure anormalement longtemps, si j'en crois ce que je lis sur Internet ; tu te nourris n'importe comment et tu manques sans doute de globules rouges, de protéines, de plein de choses saines. Quoi d'autre ? Tu fumes trop, évidemment, mais cela abîme les poumons, pas le cerveau, il me semble.

Je sais maintenant ce que je déteste dans cette façon binaire de poser un problème : il ne laisse aucune place à l'irrationnel.

Es-tu née sous une bonne étoile, Molly ? Est-ce que, dans ton malheur, tu auras de la chance ?

Cela ne sert toujours à rien d'insister : seuls tes parents et tes sœurs ont le droit de te rendre visite, comme ils le font depuis un mois et demi. Ils te parlent sûrement de choses intimes. Ils doivent évoquer des souvenirs, des regrets, des remords peut-être. Je ne les ai jamais rencontrés, mais j'imagine qu'ils ont ta discrétion et ta pudeur. J'espère que tu es à l'abri de ces scènes larmoyantes qu'on voit dans tous les mélodrames américains. Tu te souviens combien on a pu renifler toutes les deux en regardant Debra Winger mourir de son cancer dans *Tendres passions* ? Ou quand Susan Sarandon, à l'article de la mort, pardonne à Julia Roberts de lui avoir chipé son mari dans *Ma meilleure ennemie* ? Molly, si tu t'en sors, je t'apporterai la collection en DVD de tous les films qui nous ont fait pleurer, mais là, je n'ai pas l'intention d'en revoir un seul, car ils ne se terminent jamais bien pour celle qui est couchée à l'hôpital.

Je me demande comment ta famille supporte cette attente, ces heures passées dans ta chambre, à tes côtés, à la fois proche et inaccessible.

Tu disais que pour les aimer mieux, tu avais besoin d'être loin de tes parents. Qu'en leur présence, tu te sentais rétrécir, redevenir une petite fille. Et j'avais beau t'expliquer que chaque adulte reste pour toujours l'enfant de ses parents, tu ne semblais pas convaincue.

Tu avais été outrée quand, au dîner organisé pour leur cinquantième anniversaire de mariage, il y a quelques mois, tes parents t'avaient sermonnée de leur avoir fait un cadeau trop coûteux. « Ils ont toujours rêvé d'aller faire un safari au Kenya mais quand je le leur offre, ils sont obnubilés par la somme que j'ai dépensée. Ils devraient être heureux que je puisse me le permettre, au lieu de surveiller ce que je fais de mon argent ! Dans ma famille, on s'inquiète toujours au lieu de se réjouir. » Je t'avais expliqué que la mienne fonctionnait sur le même modèle, et que, visiblement, les survivants de l'Holocauste avaient du mal à mettre de la légèreté dans leur vie, mais tu ne décolérais pas.

Tes parents avaient programmé leur séjour en janvier prochain. Ma pauvre Molly, je crois qu'ils ne sont pas près de partir.

Ton chirurgien a suggéré à tes proches qu'ils mettent en place une ligne ouverte qui te soit consacrée. Il existe désormais un numéro de téléphone qui a été communiqué à tes amis. Il donne accès à un répondeur qui invite à laisser un message à ton intention. Régulièrement, un appareil les diffuse dans ta chambre, dans l'espoir que tu reconnaisses ces voix et qu'elles t'aident à remonter à la surface, à revenir de là où tu as égaré ta conscience.

Une belle idée qui, sur le coup, m'a enthousiasmée. Te parler, enfin ! Après huit semaines de silence, quel soulagement ! Dans le principe, l'idée est excellente.

Dans les faits, c'est une autre histoire. J'ai raccroché plusieurs fois, sans laisser de message. Pas question d'avoir des sanglots dans la voix, de se laisser envahir par l'émotion, la rage, le chagrin. Mais comment prendre l'air enjoué de celle pour qui tout va bien dans le meilleur des mondes ? Que te dire, à part des banalités : « C'est moi, tu me manques, je pense à toi, si tu savais comme j'ai hâte de venir te voir pour te serrer dans mes bras, bon, eh bien je t'embrasse, à bientôt, mon autruche que j'aime, prends soin de toi. » Lamentable…

Il n'est pas question de te laisser des messages anxiogènes. Il s'agit seulement de se rappeler à ton bon souvenir, dans l'espoir qu'en entendant ceux dont l'identité est, dans un coin endormi de ton cerveau, associée à ces voix, la mémoire te revienne, ou qu'au moins des souvenirs te titillent, car qui sait ce qu'il en est de ta mémoire, de ton cerveau ? Comment soulever cette trappe, cette chape de plomb qui te maintient dans ce sommeil pervers ? Nos voix peuvent-elles accomplir un miracle similaire à celui provoqué par le baiser du prince charmant dont parlait Benoît ? Existe-t-il une formule secrète pour rompre ton coma, Molly, briser ce sortilège ?

À défaut de trouver régulièrement des messages positifs à te délivrer sur un ton à peu près naturel, nous avons eu l'idée d'enrôler quelques-uns de ceux qui figurent sur tes photos, ces VIP qui, dans un premier temps, nous avaient très gentiment demandé de tes nouvelles. Nous avons dressé la liste de tes quinze personnalités préférées, celles dont il nous semblait que tu reconnaîtrais la voix entre toutes, et nous leur avons communiqué ce numéro magique que nous avions de plus en plus de mal à composer nous-mêmes. La blonde la plus célèbre du cinéma français t'a même laissé un long message.

Quand je pense que c'est grâce à Tom Cruise que nous avions fait connaissance... Je travaillais pour un magazine de cinéma, tu étais attachée de presse. Tom Cruise imposait des exigences aberrantes en échange de la vente d'une série de photos de lui dont j'avais besoin d'urgence, car nous étions en bouclage. Tu m'avais écoutée défendre mon point de vue sans broncher. Puis, d'une voix très posée qui contrastait avec ma véhémence, tu m'avais dit : « Donc je vais lui expliquer que vous acceptez toutes ses conditions et vous donner accès aux photos. Ensuite, s'il voit votre journal, il s'énervera tout seul car je quitte ce boulot dans quinze jours. Au fait, je suis d'accord avec vous : il est ingérable. » Une amitié était née.

Depuis tu as changé de métier, moi aussi. J'ai compté : cela fait dix ans que nous faisons le même.

Tu te souviens, l'année dernière, de ce jeune stagiaire qui t'avait envoyé une lettre de motivation dont tu m'avais adressé une copie avec ce commentaire : « Il est mignon, il croit qu'on vit dans le noir et qu'on regarde des chefs-d'œuvre en mangeant du pop-corn » ? Tu avais souligné une phrase dans laquelle il expliquait : « Je rêve de passer des journées entières à vos côtés dans la pénombre. »

Tu avais fini par le recevoir pour lui expliquer que tu passais le plus gros de tes journées à traquer des informations afin de connaître les projets de films sur le point de se monter, à visionner un grand nombre de pensums et à lire quotidiennement des scénarios plus souvent indigestes qu'éblouissants. Cela n'avait pas semblé le décourager. Alors tu avais porté l'estocade en lui demandant s'il aimait les jeux d'argent. Croyant bien faire, il avait répondu qu'il détestait ça. Cela avait sonné le glas de son entretien.

Toi et moi, on joue tout le temps, pour de vrai. On prend des risques, on mise des sommes importantes sur plusieurs projets. On parie sur une histoire, sur une équipe chargée de la raconter. Et puis le film se tourne. On attend, la peur au ventre. Quand rien ne va plus, quand le film est terminé, quand il sort dans les salles, le public rend son verdict. Là seulement, on sait si on a bien joué, si on a gagné ou perdu. Tu appelles ça avoir *the knack*. Le truc, le tour de main. Mais il faut de la chance aussi. C'est pourquoi tu portais toujours à ton poignet droit un bracelet à breloques. Tu les appelais tes *good luck charms*. J'ai le souvenir d'un petit dé, d'un poisson miniature, d'une clé, d'un diablotin. Si tu t'en sors, je te ferai faire un petit trèfle à quatre feuilles. Moi qui n'en ai jamais trouvé.

Cela fait longtemps que chez moi tu as ta chambre, tes habitudes. À Manhattan, tu m'as trouvé un hôtel au coin de ton bureau. Dans les festivals de cinéma, nous sommes inséparables, sauf la nuit, car ton désordre et ma maniaquerie ne font pas bon ménage et, notre décalage horaire n'étant jamais synchrone, chacune empêcherait l'autre de dormir. Tu as souvent de l'avance sur moi, car tu voyages plus fréquemment. Comme c'était le cas à Londres récemment, nous passons une dizaine de jours en tête à tête, cinq ou six fois par an, unies contre le reste de la profession, à voir des films et à en débattre. Et là, je m'apprête à aller sans toi dans un festival où je vais me sentir déboussolée, où chacun va me demander de tes nouvelles, et où je n'imagine pas ne pas t'avoir à mes côtés.

Je vais sans doute faire connaissance avec ce jeune assistant que tu venais d'engager. (« Alléluia ! Il est champion de backgammon ! » m'avais-tu expliqué.)

Ne t'inquiète pas, je vais l'aider, assez pour qu'il te remplace, mais sans en faire trop, pour qu'il ne s'imagine pas pouvoir se substituer à toi.

En attendant d'y partir, je me suis retrouvée entraînée dans un voyage organisé pour des gens du cinéma à Saint-Pétersbourg, moi qui n'y étais jamais allée. Tu allais souvent au Festival de Moscou, qui se déroule chaque année en juillet, mais tu ne m'en as rien raconté, sauf l'année où tu étais tombée amoureuse d'un interprète qui, disais-tu, avait l'âge d'être ton petit frère, ce qui t'avait empêchée de franchir le pas.

Je suis très mal à l'aise ici, malgré la beauté de la ville, et j'imagine que tu aurais ressenti la même chose. La jeunesse dorée fait encore plus froid dans le dos dans ce pays qu'ailleurs. Les femmes sont d'une beauté entêtante, mais pas indolente. On sent qu'il s'agit d'une monnaie d'échange très concrète. Les hommes ont des regards transparents, le visage et le cou ramassés en une seule masse tranchante, et une violence contenue que leurs costumes ajustés n'adoucissent pas. Molly, ne sois pas choquée mais, au point où on en est, j'estime qu'il est temps de mettre toutes les religions à contribution. J'ai réussi à fausser compagnie au groupe ce matin, le temps d'aller allumer un cierge pour toi dans une église orthodoxe glaciale, minuscule et pleine à craquer.

L'assemblée est composée de vieilles femmes dont la ferveur me bouleverse. La beauté des chants, l'intensité des visages : le cinéma de Tarkovski n'est pas loin. Depuis que tu es dans un ailleurs qui m'est inexplicable, j'ai davantage pensé à Bergman, à Fellini, à Lynch, Wenders, Huston, Visconti et Truffaut qu'à des réalisateurs découverts plus récemment. Comme en littérature, les classiques sont les meilleurs refuges, pour leur lucidité limpide, leur humanité amusée.

Une demi-heure a passé, et je ne parviens pas à sortir de cette église. Je traîne sur le pas de la porte, cueillie par la beauté des chants, étourdie par les encens, envoûtée par le son d'une cloche qu'un pope agite au bout d'une chaîne.

Je ne suis jamais allée prier avec toi. Même pas dans une synagogue. Tu m'as expliqué cent fois que tu n'es pas croyante. Que tu ne te laisses pas avoir, comme moi, par la beauté des chants liturgiques.

Mais tu as pleuré comme une Madeleine quand Elton John a chanté « Candle in the wind », aux funérailles de Lady Di.

Nous étions au Festival de Toronto ce jour, ou plutôt cette nuit-là. Avec le décalage horaire, il était trois heures du matin quand la retransmission a commencé. Un écran géant avait été installé dans le plus grand stade de la ville pour suivre la cérémonie et tu avais tenu à ce qu'on y aille. La foule était inimaginable. Des jeunes, des vieux, des enfants dans des poussettes, des gamins sur leurs vélos. Tu avais apporté des sandwichs, un thermos de café. C'était une sorte de kermesse triste. Il y avait des odeurs de fête : de la nourriture, de la bière, des gens allongés qui fumaient de l'herbe. Mais les visages étaient comme transis, figés par le chagrin. Dans le stade, les pleurs se répandaient par nappes, comme une ola de larmes. Tes commentaires passaient du coq à l'âne, de la dignité des deux garçons si petits derrière le cercueil de leur mère à la beauté de Nicole Kidman au bras de Tom Cruise, de l'absence remarquée de Stanley Kubrick, qui les faisait tourner depuis un an dans le plus grand secret, à la présence surprenante de Steven Spielberg qui avait fait le déplacement. Seul Elton John a réussi à interrompre ton babillage. Sur le chemin du retour, tu m'as désigné les fenêtres encore allumées. « Tu vois, personne ne dort, tout le monde a regardé. Ça me rappelle quand Armstrong a marché sur la Lune, j'avais sept ans, c'était la première fois que mes parents me laissaient veiller aussi tard. » Tu m'as demandé si j'aurais autorisé mes enfants à passer une nuit blanche pour regarder ces funérailles et, quand ma réponse a jailli :

« Certainement pas ! », tu as hurlé de rire en me traitant de *tight ass French*, de Française coincée. Tu avais raison : sans toi, j'aurais raté ce moment étrange, ce temps suspendu, cette communion planétaire.

Toujours à Toronto, quelques années plus tard, j'ai le souvenir d'un été indien particulièrement doux, d'un ciel bleu immaculé. Nous prenions notre petit déjeuner en terrasse. Dans le café, un écran de télévision était allumé au-dessus du bar. Il était en mode silencieux, branché sur CNN. Soudain, une voix a hurlé de l'intérieur : *Holly shit !* en montant le son au maximum. Dix minutes plus tard, tu épelais pour moi ce nom qui sonnait comme celui d'Aladin prononcé à l'américaine : *Binladin*. Ton portable n'était plus connecté, comme c'était le cas pour tous les appareils dont l'émetteur était situé aux États-Unis, mais le mien, un numéro français, fonctionnait encore. J'ai pu joindre mon bureau à Paris, mon assistante a réussi à appeler tes parents chez eux pour te les passer. Trente minutes après, plus rien ne fonctionnait. Nous étions coupées du reste du monde. Nous avions le sentiment d'être dans un film dont on aurait ralenti chaque image. La réalité était déformée. La circulation se faisait lentement. Chaque conducteur semblait sous le coup de la même malédiction : hébété, les fenêtres ouvertes, la radio à plein volume. Tous n'écoutaient pas la même station, mais étrangement cette cacophonie était rassurante. Elle donnait l'illusion d'une normalité, d'un quotidien.

Comme tous les New-Yorkais, tu t'es dépêchée de louer une voiture. Tu es repartie dans l'après-midi. Je me souviens d'avoir marché longtemps, sur des trottoirs anormalement vides, passant devant des magasins fermés, des terrasses désertes. Chacun était chez soi, en famille. Seule dans ma chambre d'hôtel, j'ai passé la soirée prostrée devant la télévision, en pensant à mes enfants. Toi, tu as fait la queue toute la nuit pour passer la frontière.

Ce matin, Clara m'a demandé pourquoi nous étions amies. Je lui ai répondu que c'était inexplicable. Mais j'ai passé la journée à me poser la question. Pourquoi toi, l'Américaine, la pragmatique, la businesswoman, la midinette, pourquoi occupes-tu une telle place dans ma vie ?

Dans le désordre : parce que tu me fais rire, que tu m'émeus.

Parce que tu es infatigable.

Parce que tu me rapportes toujours un souvenir des pays où tu pars sans moi.

Parce que tu as l'art d'offrir des cadeaux incroyables. Jamais je ne me séparerai de cette boule ivoire, nichée dans une boîte laquée noire, qui diffuse un parfum de vanille. Je ne sais pas où tu l'as dénichée, ni comment tu en as eu l'idée. Tu me l'as offerte « pour l'inspiration » et, depuis quinze ans, je n'ai pas écrit une seule ligne sans l'avoir à côté de moi.

Parce que tu n'oublies jamais une fête ou un anniversaire.

Parce que, comme moi, tu adores la soul music, les oreillers tout mous, les pivoines, les bouillottes et les boucles d'oreilles.

Parce que, dans chaque festival, tu déniches le meilleur japonais, le meilleur cappuccino, la meilleure librairie et que tu remets tes fiches à jour chaque année.

Parce que tu sais réparer mes pannes de téléphone et d'ordinateur.

Parce que tu as toujours au fond de ton sac des mouchoirs en papier, des piles, des bonbons, de l'Advil, une lime à ongles, un marque-page et une fiole de Tabasco car tu estimes qu'il n'y en a jamais assez dans le Bloody Mary.

Parce que tu sais faire des tours de cartes.

Parce que tu es capable de te mettre du vernis sur les ongles à l'arrière d'une voiture en marche sans que cela déborde.

Parce que tu as le sens de l'orientation.

Parce que tu lis toujours mon horoscope en même temps que le tien.

Parce que tu ne te maquilles jamais les yeux mais que tu mets du rouge à lèvres alors que je fais le contraire.

Parce que ton français est inexistant et que j'adore te parler en anglais.

Parce que je peux tout te dire.

Nous n'avons jamais passé le 31 décembre ensemble. À cette date, tu es toujours au soleil, à l'autre bout du monde, en train de bronzer. C'est ton passe-temps favori. Tu t'es toujours moquée de ma passion pour la côte atlantique. « Moi, j'aime quand la mer est à vingt-cinq, la température à trente-cinq, et mon huile solaire à zéro pour cent de protection. » Quand je t'appelle, sur les douze coups de minuit, nous avons l'habitude de chanter ensemble, en le massacrant, le refrain de « New Year's Resolution », d'Otis Redding : *Let's make promises that we can keep*, « Faisons des promesses que nous pouvons tenir ».

Ce soir, il est minuit passé de cinq minutes. Pour une fois j'écoute la chanson dans sa version originale, en duo avec Carla Thomas, et je pense à toi.

Quelles promesses puis-je te faire ? Que puis-je affirmer sans te mentir ? Te dire que tu vas te réveiller et que la vie va reprendre son cours ? J'en suis de moins en moins sûre. Ceux qui te soignent trouvent que tu mets beaucoup de temps à revenir à la vie. Une chose est établie : tout a été tenté, rien de plus ne peut être fait. Ta vie est entre tes mains. Es-tu seulement en état de le savoir ?

Ton numéro ne fonctionnait pas ce soir. Sûrement une étourderie de l'infirmière qui avait dû mal enclencher le répondeur. Elle avait sans doute la tête ailleurs. C'est jour de fête, après tout. Elle devait penser à sa soirée, aux amis qu'elle allait rejoindre, à ce qu'elle allait porter. Sur le coup, cela m'a mise en rage. Puis j'ai fini par m'avouer que cela m'arrangeait bien.

Il est deux heures du matin. Tout le monde dort. Je grignote ces grains de café en chocolat dont tu raffoles. Je voudrais tant que ce mois qui démarre soit celui de ton réveil, de ton retour, de ta résurrection.

En attendant, je te souhaite tout ce que tu veux, tout ce que tu te souhaiterais si tu étais là pour souhaiter quelque chose. Moi, je te promets la seule chose dont je sois sûre, car celle-là au moins ne dépend que de moi : je serai là, pour toi, quoi qu'il advienne.

Si seulement tu voulais bien te réveiller.

Tu disais avoir tout essayé pour te débarrasser de tes migraines. Changer de lunettes, de literie, de parfum. Dormir fenêtres ouvertes. Te laver les cheveux à l'eau très froide. Éviter les cacahuètes, le vin blanc. Fuir le chauffage par le sol. T'ouvrir aux médecines parallèles : l'acupuncture, la sophrologie, l'ostéopathie. Te masser les tempes aux huiles essentielles. Plonger la tête dans un bac à glaçons… Combien d'heures as-tu perdues, allongée dans le noir, un masque sur les yeux, à attendre la fin de tes crises ?

Tu essayais toutes les recettes, tu suivais tous les conseils, sauf le mien : passer une IRM.

Cet examen t'angoissait. Tu disais que tu te méfiais de ce concept d'ondes magnétiques. Que c'était sûrement dangereux pour la santé.

Tu affirmais que tu étais trop claustrophobe pour aller t'allonger dans ce long tube blanc que tu n'avais pourtant jamais expérimenté, sauf sur un écran de cinéma.

Tu avais fini par prendre rendez-vous.

Tu n'y es jamais allée.

La veille de ton hospitalisation, tu avais consulté le généraliste de ton entreprise. Il t'avait conseillé un spray nasal contre la sinusite. Il t'avait dit de freiner ta consommation de cappuccinos car ta tension était trop élevée.

Il ne t'avait pas envoyée mettre ton crâne dans une machine pour voir ce qui s'y passait, tenter de comprendre pourquoi tu souffrais, presque tous les jours, depuis dix ans.

Il aurait dû.

Durant toutes ces années, du sang cognait contre tes tempes. Il s'écoulait au ralenti, goutte après goutte. Un peu comme le sable de ta bouteille en plastique qui a fini par se fendre.

Une IRM aurait détecté le danger qui te guettait, montré qu'il fallait immédiatement t'opérer, pour endiguer le sang.

Tu avais une bombe dans la tête, mon autruche chérie.

Une membrane s'est déchirée. Le sang s'est répandu dans ton cerveau.

Cela s'appelle une rupture d'anévrisme.

J'ai rêvé de toi la nuit dernière. Tu étais très chic, dans un de ces tailleurs-pantalons que tu affectionnes, stricts, d'une coupe impeccable. Celui-là était marron glacé et dessous on devinait le col d'un chemisier en soie crème. Tu avais noué tes cheveux longs en tresse. Les chaussures étaient des derbys en vernis chocolat. Une paire rapportée d'Italie, d'où tu venais de rentrer. Pendant que tu me racontais ton voyage à Rome où tu avais vu un film en montage, nous marchions dans un couloir, tu as poussé une porte et nous nous sommes installées autour d'une table de réunion où nous avons rejoint d'autres personnes. J'étais assise à tes côtés, nous écoutions quelqu'un parler, soudain tu t'es levée en reculant violemment ta chaise et tu t'es mise à crier : « Regardez ! » Tu as étendu tes mains devant toi à l'horizontale. Tout le monde a remarqué combien elles tremblaient. Puis tu t'es évanouie, j'ai hurlé et mon cri m'a réveillée.

C'est peut-être cela qu'il faudrait faire : crier, au lieu de rester, comme ta famille, assise à ton chevet dans ce que j'imagine être un silence feutré. On conseille souvent d'effrayer celui qui a le hoquet, afin que la surprise lui coupe le souffle et supprime le spasme qui contracte son diaphragme. Si j'étais seule avec toi, je t'empoignerais fermement, je te secouerais le bras, je hurlerais de toutes mes forces : « Réveille-toi ! »

J'ai quitté Paris, destination Sundance. D'habitude, j'arrive à New York le 15 janvier et on passe la soirée ensemble avant de s'envoler vers l'Utah, où on loue une voiture pour rejoindre ce festival et y passer dix jours ensemble.

J'aurais pu, cette fois, faire comme les autres acheteurs français et prendre un vol direct. Mais à défaut de te voir, j'avais envie de rencontrer tes proches.

J'ai dîné avec Suzie. De tes amies new-yorkaises, elle est celle dont tu m'as le plus souvent parlé. Elle est blonde, d'origine yougoslave, sa poignée de main est plus efficace que chaleureuse, et son visage est tendu, comme en alerte. Ce n'est pas le genre de fille avec qui on s'imaginerait bavarder jusqu'à l'aube. Mais sa raideur naturelle m'oblige à prendre sur moi, à ravaler les sanglots qui affleurent à ma gorge quand elle me parle de toi.

Elle me raconte les coulisses de ton hospitalisation, les embûches administratives que tes parents ont rencontrées. Surtout, elle me parle d'eux, que je ne connais pas et que je n'ose pas appeler. Ton père est le plus ébranlé des deux. Cela m'étonne. J'aurais imaginé qu'étant dentiste, le monde médical ne lui était pas inconnu, et qu'il serait le mieux à même de faire face. C'est l'inverse qui se produit. Ta mère serait presque aussi inquiète pour lui que pour toi. Il se sent coupable de ne pas t'avoir obligée à passer les examens que lui, comme moi (je le découvre), t'exhortait à faire. Tout cela parce qu'il s'était fait la promesse de ne plus jamais se mêler de ta santé.

Durant ta croissance, il t'avait fait suivre un traitement qui, affirmait-il, permettait de renforcer l'émail de tes dents pour mieux les protéger d'éventuelles caries. C'était une avancée toute récente de la médecine et il était fier de pouvoir t'en faire bénéficier. Dix ans plus tard, il avait fallu se rendre à l'évidence : s'il était incertain d'affirmer que tu étais moins fréquemment exposée à la fraise du dentiste que d'autres enfants de ton âge, ton sourire, en revanche, était la preuve accablante que ces cachets avalés toutes les semaines avaient eu pour effet de jaunir tes dents à vie. Ton père ne se l'était jamais pardonné. À présent, il se sentait deux fois coupable, d'en avoir fait trop quand tu étais petite et pas assez depuis.

Cette anecdote que j'ignorais m'a bouleversée. Si tu savais combien c'est difficile d'être parent ! Je dis souvent à mes enfants : « Je suis désolée de ne pas être une meilleure mère. C'est dommage pour vous mais c'est comme ça : vous êtes tombés sur moi. » Ce n'est pas une pirouette d'autosatisfaction déguisée, pour les obliger à se lancer dans des dénégations appuyées. Je le dis parce que je le pense. C'est une constatation à laquelle j'ai fini par me résoudre. Je ne suis pas la mère que j'aurais voulu, ni, pire encore, pensé pouvoir être. Le quotidien a rongé mes ambitions, rabattu mon caquet. L'usure, l'impatience, la fatigue, l'exaspération ont grignoté mes réserves, que je pensais inépuisables, de douceur et de compréhension. L'amour que j'ai pour mes enfants, qui a jailli en moi à la seconde même où j'ai su qu'ils grandissaient dans mon ventre, est immense, infini, inextinguible. Hélas, les qualités qui devraient en découler, la patience, le calme, le contrôle de soi et de ses nerfs, ne me sont pas venues en complément. À défaut, j'ai des réserves de culpabilité, ce sentiment frustrant et inutile qui rend lucide donc malheureux, mais ne permet ni de réparer les erreurs commises ni d'éviter d'en commettre de nouvelles dans l'avenir.

N'en veux pas à ton père. Éduquer, c'est se tromper, en permanence. On transmet une éthique, une morale, on fabrique des souvenirs. Mais toujours avec un sentiment d'inachevé, d'approximation, de gâchis. On veut tellement bien faire qu'on fait mal, trop, à côté. L'amour est là, évident. Mais les preuves qu'on en donne sont souvent maladroites, parfois destructrices. La souffrance de ton père doit être indicible.

J'ai pris un taxi pour faire la route depuis l'aéroport de Salt Lake City. Il fait un froid sec. L'année dernière, la neige tombait tellement dru qu'elle rendait les panneaux indicateurs illisibles. Le vol avait eu du retard, la nuit était tombée, je n'étais pas rassurée du tout. Toi, impériale au volant de ta Lincoln, tu sifflotais, la cigarette et le volant dans la main gauche, tandis que la droite cherchait la fréquence des informations routières, tout en éteignant au passage le plafonnier que j'avais allumé pour tenter de lire une carte routière dépliée sur les genoux. « Tu vas avoir mal au cœur ! J'ai déjà passé tout le vol à essayer d'empêcher ton nez de pisser le sang, ma trousse d'infirmière est vide ! » J'étais effectivement restée une heure avec un glaçon sur la narine droite, qui s'était mise à saigner dès le décollage.

« Tiens, ça me donne une idée ! » Tu avais sorti ton portable pour appeler les secours de l'autoroute. Quand ils étaient arrivés dix minutes plus tard, tu leur avais montré le mouchoir ensanglanté en guise de preuve de mon malaise et de l'urgence qu'il y avait à ce que je voie un médecin en ville. Ils nous avaient ouvert la route. Tu les avais suivis. Nous étions arrivées les premières à notre hôtel, avions eu les meilleures chambres et, une heure plus tard, valises rangées, nous étions installées devant une immense cheminée à siroter nos Bloody Mary, alors que nos collègues et concurrents erraient encore sur les routes enneigées.

C'est avec tes associés que j'ai pris l'apéritif ce soir. Peter, un ancien obèse – cela se voit à ses joues flétries –, fume comme un pompier et parle du nez. Paul a une silhouette de rugbyman et un regard franc. Cela va faire douze ans que tu collabores avec eux. On s'amusait à accoler vos prénoms ensemble : *Peter, Paul and Molly*. Presque comme Peter, Paul and Mary, le trio de chanteurs folks qui connut la gloire dans les années soixante-dix. J'ai encore le photomontage qui a été fait de vous trois sur lequel tu tiens une guitare, toi qui n'as jamais joué d'aucun instrument.

J'ai toujours pensé que Peter et Paul t'exploitaient. Je t'ai souvent fait remarquer qu'ils te traitaient comme une subalterne alors que vous êtes partenaires. Ils ont vraiment eu de la chance d'être tombés sur toi. Tu es célibataire, passionnée par ton travail, acharnée, courageuse, perfectionniste. Eux, les pères de famille rentrés à la maison à dix-huit heures, n'ont jamais eu de scrupules à t'appeler à des heures indues, toi qui n'oses jamais éteindre ton portable, même le week-end, au cas où *the boys*, comme tu les as toujours appelés, auraient besoin de te joindre.

Ils m'ont appris que ton accident avait eu lieu juste au moment du renouvellement de votre accord avec la *major company* dont vous êtes les affiliés. J'étais au courant de cette échéance, que je croyais plus lointaine et dont je supposais le terme reculé à cause des circonstances. Il n'en a rien été. Les *boys* ont négocié pour toi, à ta place. Et ils n'ont rien lâché, refusant que tu sois, même temporairement, exclue de l'accord, ou que ta santé puisse être envisagée comme une condition suspensive. Au contraire, ils ont obtenu que ton nom soit associé à toutes leurs décisions, quelle que soit la durée de ton absence.

Ils ont également fait en sorte que tes soins soient intégralement pris en charge par la société, ton « accident » ayant eu lieu sur ton lieu de travail, vingt-quatre heures après que le médecin de l'entreprise eut jugé que ta santé ne justifiait ni arrêt maladie ni examens complémentaires. Le fait que ce professionnel ait agi avec une telle légèreté a facilité les négociations. Tes partenaires ont pu garantir que tes parents ne porteraient pas plainte, si l'entreprise se montrait magnanime en réglant toutes les factures consécutives à ton état.

Le sordide l'a donc disputé à l'abominable. Mais au moins, tu es désormais financièrement à l'abri.

Tu venais de raccompagner un visiteur aux ascenseurs. En retournant à ton bureau, tu as demandé à Tom, ton nouvel assistant, s'il voulait bien être assez gentil pour aller te chercher un bon cappuccino à l'italien du coin.

Il pleuvait, il a mis du temps à s'y rendre et à être servi. Vingt minutes environ. À son retour, il s'est étonné de ne pas te trouver. Quand il s'est avancé pour poser le gobelet sur ta table, il t'a trouvée au pied de ton fauteuil, couchée sur le côté, étendue le long de la baie vitrée. Inconsciente.

Il était environ dix-huit heures, ce premier jeudi de novembre. Il a bien fallu une heure avant qu'un médecin ne se penche sur ton cas. Au Lenox Hill Hospital où ils t'ont accompagnée, tes deux associés ont dû signer eux-mêmes l'autorisation de t'ouvrir le crâne. Le chirurgien avait refusé qu'on appelle tes parents : « On n'a pas le temps. C'est sans doute déjà trop tard. Si j'opère, c'est parce qu'elle a quarante ans. Elle en aurait dix de plus, je n'essaierais même pas. »

L'intervention a duré six heures. Les *boys* ont attendu le lendemain pour téléphoner à tes parents. Quarante-huit heures pour prévenir tes proches.

Tu as bien choisi Tom. Il est exactement tel que je l'imaginais : fin, élégant, courtois. Il rougit comme un adolescent dès qu'on le regarde dans les yeux. Il a pour toi une sorte de vénération. Est-il parfaitement sincère, ou poliment hypocrite ? Il dit qu'il occupe provisoirement ton fauteuil mais qu'il est loin d'avoir les compétences requises et que seul un concours de circonstances justifie sa position actuelle. Il connaît mon statut de collègue et d'amie, mais a l'habileté de ne pas chercher à s'immiscer dans mes souvenirs pour me faire parler de toi. Il est chaleureux et professionnel, embarrassé et touchant. Je suis certaine que tu as un faible pour lui. Il est grand, il a un beau sourire, et un côté vintage, période *Butch Cassidy*, plutôt Newman que Redford. Tout à fait ton genre.

Molly, je déteste voir des films sans toi. Tu me manques. Ta présence me manque. L'odeur des chewing-gums que tu mâches frénétiquement dès que tu ne peux plus fumer et qui donnent à ton haleine, selon les jours, un parfum de menthe, de fraise ou de cannelle me manque. Comme ton stylo magique, qui devient une lampe de poche si on le dévisse et te permet, dès que tu t'ennuies, de vérifier la durée du film devant lequel on est assises et l'heure à laquelle démarre le prochain qu'on avait envisagé de voir. J'adore ta façon d'être incroyablement concentrée quand le film te plaît, tellement immobile que tu en oublies de respirer, si bien que lorsque enfin tu inspires, tu le fais si profondément qu'on dirait un ronflement.

Professionnellement, ton avis me manque. Ta vision des films a toujours différé de la mienne. Tu es plus sentimentale, plus prompte à t'émouvoir. Le pathos, qui me hérisse et me fait immédiatement sortir des histoires qu'on nous raconte, ne te dérange pas. Au contraire, tu serais plutôt cliente. Ce qui ne t'empêche pas, dès la projection terminée, d'émettre un jugement négatif, si ce n'est pas un film que tu envisages d'acheter. Cette faculté de te dégager de tes propres émotions, d'abandonner ta peau de spectatrice pour revêtir celle de l'acheteuse m'a souvent agacée.

Comment peux-tu à ce point ne pas tenir compte de ton propre avis ?

Cela a donné lieu à de nombreuses discussions entre nous. C'est ce qui me manque le plus. Débattre avec toi. M'énerver contre toi. Trouver des arguments à opposer aux tiens. Confronter ta culture et la mienne, ta sensibilité, ma sensiblerie, et réciproquement. S'apercevoir que nos goûts se sont formés à l'aune de nos souvenirs, de nos enfances, de nos blessures, de nos exaltations, et comprendre qu'aimer un film n'a rien d'objectif. Un film nous parle, ou ne nous parle pas. Il nous émeut ou nous agace les nerfs. Il nous ramollit le cœur ou nous hérisse le poil. C'est cela notre métier. Choisir une histoire parmi toutes celles qu'on nous raconte.

Tu disais que si un jour tu décidais de te mettre à ton compte, tu appellerais ta société « Il était une fois ». Tu as raison, c'est une phrase magique. C'est le sésame qui me fait me lever le matin.

Mais dis-moi, Molly, comment veux-tu que je m'intéresse à la moindre histoire, seule dans mon fauteuil, alors que tu es gisante, dans un lit d'hôpital, dans ce décor archi-convenu de toutes ces séries américaines où les médecins finissent toujours par réussir à soigner ceux qui débarquent dans leur service ? Ils sont beaux, harassés, omnipotents, fragiles. Ils ont nos vies entre leurs mains. Celui qui te suit depuis des mois, dans quel épisode joue-t-il ? il la connaît, l'histoire ? S'y consacre-t-il vraiment ? Est-ce qu'il la trouve passionnante ou désespérée ? Est-ce qu'il sait, lui au moins, si elle se termine bien ?

Ce matin, je rangeais la chambre des enfants et le grand Pinocchio de céramique qui garde le lit de Benoît m'a fait penser à toi. Lui aussi est entré par accident dans le ventre de la baleine. Elle a refermé sa gueule sur lui, et l'a emprisonné dans ses entrailles. Il a dû avoir froid, faim et peur d'être plongé dans le noir. J'ai oublié comment il en est sorti. Et toi ? Dans quel ventre, à l'intérieur de quel poisson géant es-tu allée te perdre ? Tu es pourtant une nageuse expérimentée. Tu adores la plongée sous-marine, la mer est ton élément, contrairement à moi dont la phobie de mourir noyée m'empêche d'aller là où je n'ai pas pied. Alors pourquoi ne retrouves-tu pas tes réflexes ? Pourquoi ne donnes-tu pas le coup de pied salvateur qui permet de remonter à la surface ?

Et puis tu n'es pas une marionnette en bois qui doit payer le prix de ses mensonges. Elle n'est pas bientôt finie, cette mauvaise plaisanterie ? C'est quoi, ce puits sans fond de chagrin, de tristesse, de questions sans réponse ? Des centaines, des milliers de questions, pour éviter de se poser la seule qui vaille, celle qui, depuis maintenant trois mois, me réveille le matin dans un sursaut, après m'avoir empêchée de m'endormir la veille, celle qui, après une heure à me retourner dans mon lit, sur une oreille, puis sur l'autre, sur le dos, le ventre, avec puis sans oreiller, m'envoie dans la salle de bains prendre le quart d'un comprimé pour escamoter cette question lancinante, ridicule, égoïste, inévitable : pourquoi toi et pas moi ? En vertu de quel ordre, de quel arrangement secret, de quel grand livre ? Quelle absurdité. La vie continue, la vie s'arrête. Le feu est rouge ou vert. Le cœur bat, puis il s'arrête de battre. Le mien, la nuit, bat trop fort. Le tien, là-bas, trace sur une machine des dentelures irrégulières.

Les nuits où je ne me résous pas aux comprimés, je regarde par la fenêtre. Les lumières des voisins. Les volets, ouverts ou fermés. Les vies que l'on devine. Dans l'immeuble d'en face, qui va tomber malade ? Qui va guérir ? Comment ne pas y penser ? Comment ne pas devenir fou ?

Molly, toi qui adores les cartes, tu as tiré le chat noir. L'accident de la vie. Celui que chacun redoute d'avoir. Celui qui fait baisser le ton dans les conversations. En parler, n'est-ce pas attirer le mauvais sort au-dessus de nos têtes ? Alors on se tait, honteux de s'avouer soulagé d'avoir été épargné par le malheur de l'autre.

Même ton célibat joue contre ton camp. À combien d'entre nous es-tu réellement essentielle ? À part ton père, ta mère, tes sœurs ? Pas d'enfant, pas de fiancé, aucun de ces liens dont, autour de moi, j'entends dire que c'est un soulagement qu'il n'y en ait pas dans ta vie. Mais si c'était le contraire ? Si seules ces formes d'amour-là permettaient de trouver au fond de soi la force de se battre ? Et si l'amitié, aussi sincère soit-elle, n'y suffisait pas ? Quel chant de quelle sirène pourrait te donner la détermination, la volonté acharnée d'ouvrir la gorge de la baleine ? Dans les sept notes de la gamme, y a-t-il une combinaison magique, une suite de sons à trouver, comme celle que François Truffaut inventait dans *Rencontres du troisième type* pour établir une connexion avec les extraterrestres ? Quel air pourrait faire son chemin jusqu'à ta planète Virgule ?

Pas tes chansons préférées, en tout cas : ta play-list y est passée, en vain. Soul, blues, variété, classique, même les musiques originales de tes films de chevet. La bande qui déroule nos messages enregistrés continue à glisser sur tes oreilles. Comme les mots d'amour que te chuchote ta famille. Sur les murs de ta chambre, dont j'ai vu des photos, il y a désormais des affiches de films, des cartes postales de tes plages favorites, des photos de tes amis, des Post-it dans toutes les langues, de toutes les couleurs. Ce n'est plus une chambre d'hôpital, c'est une pièce mortuaire, les fleurs en moins. Nous ne nous y serions pas pris autrement pour composer le programme de tes funérailles : les chansons fétiches, les poèmes préférés, les voix des amis les plus proches. Et si au lieu de chercher à te ramener à la vie nous avions dressé ton tombeau ?

C'est arrivé la nuit dernière. Tu étais seule avec tes machines. De toute façon, aucun être humain n'aurait pu saisir cet instant inouï, invisible à l'œil nu que les médecins, en bons sismologues, ont aussitôt repéré, interprété et transmis à la famille.

Tu es sortie de ton coma profond, pour passer à un autre stade, ce qui indique que tu vas vraisemblablement les franchir tous, les remonter par paliers, jusqu'à parvenir à la surface du monde, de la conscience, pour enfin remonter jusqu'à toi, jusqu'à nous tous.

Tu réintègres le monde des vivants, enfin. Les médecins l'affirment. Mais au lieu de fêter ton retour dans l'allégresse, de retenir impatiemment notre souffle, comme on gonfle les poumons de toutes ses forces afin d'éteindre en une seule fois toutes les bougies sur le gâteau, notre attente angoissée a laissé place à une inquiétude sourde que chacun trimbale dans son coin, que nul ne veut évoquer, comme si la verbaliser allait lui donner forme, comme si dire les mots allait jeter sur toi un sort irrémédiable.

Dans quel état nous reviens-tu ? Quelles traces vas-tu conserver de ce long voyage en apnée ? La planète Virgule a-t-elle correctement oxygéné ta tête et tes poumons ? N'as-tu rien oublié dans le ventre de la baleine ? Y a-t-il un prix à payer pour reprendre forme humaine ? As-tu, comme la Petite Sirène, dû renoncer à la parole ? Est-ce que ton corps va retrouver toutes ses fonctions ? Est-ce qu'il suffit de recharger ses piles, d'effectuer un *reset*, comme tu l'as souvent fait avec mon portable quand il ne marche pas comme je veux ? Est-ce que tu vas être entièrement remise ? Est-ce que toi, est-ce que tout redeviendra « comme avant » ?

Molly, je te préviens, l'histoire que je vais te raconter est détestable.

Elle est banale, cliché, de mauvais goût, indigne, avilissante, stupide, vulgaire ou, comme dirait Godard, « dégueulasse ».

Cette histoire n'a aucun intérêt.

Mais c'est devenu la mienne.

Une sale histoire.

Il a suffi de trois mots sur l'écran d'un portable.

Des mots chargés de sous-entendus.

Des mots qui disent le désir, la frustration, l'impatience.

Ils figureraient sur ton portable, j'aurais trouvé ça délicieux.

Ce sont des mots que j'ai pu dire à l'homme que j'aime, il y a longtemps.

Les mots qu'on dit au début, quand l'autre nous est indispensable.

Vincent s'était assoupi dans le salon. Son portable traînait, allumé, à côté de lui.

Je me suis précipitée, pour éviter que le bip du message ne le réveille. C'était inutile, il dormait profondément, c'est moi qui ai toujours eu le sommeil léger.

Quand j'ai lu les trois mots, j'ai lâché le téléphone, qui est retombé mollement sur le coussin du canapé, sans se briser.

Mon cœur, lui, était en miettes.

« Tu me manques. »

Trois mots, comme les trois coups que l'on frappe au théâtre pour avertir que le spectacle va commencer. Trois mots qui ont déclenché un tremblement de terre.

Molly, comment te décrire ce que cela m'a fait ? Est-ce qu'avant de perdre connaissance tu as éprouvé les mêmes symptômes ? Le corps se met à te désobéir. Il t'échappe. Tu as perdu le contrôle. Ton dos se courbe sous la violence du coup porté à ton plexus, le froid t'engourdit, ta mâchoire te fait mal à force de serrer les dents pour qu'aucun bruit ne s'échappe de tes poumons asphyxiés où l'air a cessé d'entrer. Tu secoues la tête pour que les mauvaises pensées n'y entrent pas alors qu'elles ont déjà tout envahi.

Molly, franchement, à cet instant précis, j'aurais volontiers échangé ma place contre la tienne, pour ne pas sentir cette boue qui m'aspire et m'enfonce, cette rage, cette déception, cette colère, cette impuissance. J'aurais voulu casser ce téléphone et perdre connaissance. Disparaître dans cette planète Virgule où la perte de conscience qui insensibilise l'esprit m'aurait peut-être empêchée de souffrir.

Moi qui t'ai toujours affirmé que la jalousie était un sentiment qui m'était étranger, je découvre que c'est un rat, un ver de terre, quelque chose d'indéfinissable mais de physique, qui grignote l'intérieur des intestins, brûle le tube digestif, envoie de l'acidité dans la gorge, paralyse les membres et dévaste le cerveau. Celui-ci s'est soudain vidé de toutes ses données pour se consacrer compulsivement à l'étude d'une seule, la dissection d'une pensée exclusive, obsessionnelle.

Je formais la sereine moitié d'un couple que je croyais heureux.

J'étais une imbécile, Molly, je le sais maintenant.

Je n'ai rien voulu voir, je n'ai rien deviné, rien senti.

J'étais confortablement lovée dans mon bonheur tranquille.

Le réveil est brutal.

Le rat s'est installé dans mes entrailles. Je le sens qui prend ses aises.

Molly, il n'y a qu'à toi que je peux la raconter, cette histoire.

Elle me fait honte.

J'aurai au moins évité ce suspense de mauvais téléfilm durant lequel l'épouse trompée cherche à découvrir qui est l'autre. Les trois mots étaient signés d'un nom que je connais. L'ennemie a un visage. Je l'ai croisée parfois à des conférences, des dîners. C'est une étudiante parmi d'autres, une des nombreuses variations d'un modèle renouvelé à chaque cycle scolaire et quasi immuable à travers les années : jeune, impressionnée, admirative, voulant se faire remarquer et y parvenant, mais en vain, remarquée ne signifiant pas distinguée. Vincent n'a jamais été dupe du papillonnage de ses élèves, ce qui ne l'empêche pas de ronronner d'aise quand l'une d'entre elles, plus ravissante, plus culottée, plus habile que les autres, accapare son attention, le temps d'un dîner. Ces soirs-là, comme je te l'ai déjà expliqué, je préfère m'éclipser et rentrer seule, en essayant de me convaincre que mon départ a peut-être gâché un peu du plaisir nigaud que Vincent prend à se sentir dévoré des yeux. Je peux te décrire la suite. Il va boire un peu trop, il rentrera en veillant à ne pas faire de bruit, mais ne manquera pas de se cogner contre le pied du lit, il s'endormira d'un coup, se réveillera pâteux, piteux, faussement contrit, et tentera de me démontrer à force d'anecdotes combien cette pauvre fille était paumée mais gentille, un peu niaise mais plutôt drôle, et il en restera là, conforté dans la certitude que j'ai déjà pardonné, oublié une fin de soirée tellement dépourvue d'intérêt qu'elle n'a pu susciter de ma part que de l'indifférence. Et c'est vrai que j'avais pris l'habitude de penser à ces jeunes filles avec une condescendance amusée, que je plaignais ces créatures de s'être imaginé qu'une aventure avec leur professeur de lettres était possible, comme si qui que ce soit pouvait s'immiscer dans notre intimité, forte de vingt années d'une complicité douillette.

Molly, tu as toujours vécu seule, et tu le vivais bien. Tu disais que c'était trop tard, que tu ne pourrais plus t'adapter aux façons de quelqu'un d'autre. Pourtant, avec le temps, vivre en couple devient confortable, crois-moi. L'autre a épousé tes habitudes et accepte tes manies. Après un certain nombre d'années, l'inquiétude, l'irritation, toute forme de sentiment susceptible d'initier une discussion pouvant se transformer en conflit perd en urgence et en intensité.

À la nécessité de donner coûte que coûte son avis, d'exposer sa différence, se substitue l'acceptation paresseuse de la pensée d'autrui. Quand on connaît l'autre au point de deviner ce qui va le faire sortir de ses gonds, il arrive un âge où il devient moins glorieux mais plus avisé de renoncer au débat. À quoi bon exposer son point de vue quand on devine par quels arguments il sera contré, quand on sait qu'à l'arrivée les sentiments de chacun seront d'autant plus froissés qu'ils sont inconciliables ?

Toi dont la décoration de ton appartement a accaparé les semaines qui ont précédé ton coma, sache que la vie à deux évolue comme l'ameublement d'un salon. On passe de l'affrontement, chacun dans un fauteuil face à l'autre, le dos bien droit, calé contre le dossier de son siège, à la posture plus avachie, mais tellement plus confortable, du canapé à deux places, dans lequel chacun a son côté favori, comme dans le lit conjugal, si bien qu'au lieu de se regarder, on regarde ensemble vers le même mur. Le renoncement est là, dans cette absence de débat qui conduit à oublier l'idée même d'une discussion. Tu ne demandes plus à l'autre son avis, tu t'enquiers simplement de son état : « Ça va ?

– Oui et toi, ça va ? » Les griffes de chacun sont moins acérées. Pourtant la vie n'a pas perdu de sa rudesse. Les batailles se multiplient au-dehors, avec les autres. Alors, quand tu te retrouves au cœur du foyer, tu aspires à un peu de calme pour reprendre des forces. Tu savoures l'harmonie, le bien-être. Parvenus tous deux au sommet, il est doux de respirer ensemble, côte à côte, avant de redescendre la montagne. Tu prends le temps de vivre, avant de te regarder vieillir.

Toi et moi avons eu cette conversation encore tout récemment à Londres. Je t'expliquais que Vincent et moi étions sortis de la zone de turbulences qu'on traverse quand les enfants sont tout petits, que le temps filait vite et plutôt droit, que Benoît et Clara grandissaient et prenaient toute la place, qu'ils étaient d'ailleurs quasiment les seules occasions de dispute.

Une étudiante. Tu imagines combien c'est ridicule ? De quoi lui parle-t-il ? Qu'est-ce qu'une adolescente à peine majeure comprend aux problèmes d'une vie adulte ? Comment pourrait-elle changer le cours d'une existence comme celle de Vincent, tellement remplie ?

Je te pose la question. Ça me fait du bien. Cela me rappelle mes certitudes, que trois mots sur un portable ont envoyées promener.

La réponse, je la connais.

L'attraction des contraires. C'est de cela qu'il s'agit.

Évidemment. C'est bête à pleurer. Elle est jeune, libre, disponible. La côtoyer, c'est approcher un monde où tout est possible puisque tout reste à vivre. Pour Vincent, c'est comme s'il avait découvert qu'il disposait d'une touche « pause ». C'est notre vie de famille qu'il immobilise. Il quitte la route principale. Il s'aventure. Il découvre le plaisir de perdre son temps, de le gaspiller, de le dilapider. Et, dans ce temps inespéré, il trouve et il prend un plaisir dont il avait perdu le goût, le parfum, le souvenir. Celui d'une époque fugace où rien ne pèse, rien ne presse, où chaque jour ressemble à une fenêtre ouverte, où son propre désir fait loi, où l'on avance en conquérant face au reste du monde.

Ce temps que toi comme moi n'avons jamais vraiment savouré, tellement nous avions hâte d'apprendre, de comprendre, de multiplier les expériences, Vincent le redécouvre avec délices, maintenant qu'il est adulte. Il doit inspirer à pleins poumons cet élixir tant galvaudé, tant méprisé par ceux qui l'ont oublié derrière eux. Ceux dont, Molly, je découvre soudain que je fais partie. C'est tellement simple. Ce n'est pas un démon, mais une redécouverte. Pour Vincent, elle est inespérée. La jeunesse. Se sentir jeune à nouveau. Se donner l'illusion que la vie est une route qui reste à aborder, quand en réalité on a déjà parcouru la moitié du chemin. Comment résister à cette tentation ?

Il y a eu d'autres élèves avant. Certaines encore plus belles, encore plus brillantes, encore plus disponibles. Mais ce n'était pas le moment.

Pourquoi maintenant ? Maintenant précisément ? Notre vie est douce, nos enfants épanouis, notre famille harmonieuse... Est-ce parce que tout est calme qu'il s'ennuie ? Je n'ai jamais imaginé que cet équilibre qu'on a construit ensemble, lui et moi, pouvait autant me combler, et tellement lui peser. Je ne sais pas depuis quand nous avons cessé d'avoir les mêmes rêves. Tu vois, pendant que je ne voyais que nous, il s'est mis à s'interroger sur lui. Pendant que des écrans noirs me racontaient des histoires, il repensait la sienne.

Molly, franchement, est-ce que je suis devenue cette mère de famille conventionnelle, aveugle et sourde ? Ce cliché ? Ce mauvais vaudeville ? Vraiment ? Depuis quand ?

Tu sais combien je déteste lire ce genre de scénario prévisible. Le mari, la femme et l'autre, l'intrus, qui incarne le serpent de la tentation.

Dans ce type d'histoire, la résolution est forcément binaire. Comme ta feuille à deux colonnes. Pour ou contre ?

Se parler ou se taire.

Partir ou rester.

Se révolter ou pardonner.

Souffrir ou oublier.

Molly, tu dirais quoi, à ma place ? Stop ou encore ?

Alors que tu vas enfin revenir de ta planète Virgule, je pars à l'assaut d'une terre qui m'était inconnue et que je ne pensais pas devoir visiter un jour. Je n'ai pas le choix. Il faut que je l'affronte. La jalousie. Cette mauvaise conseillère. Cette lave brûlante qui aveugle les sens et embrouille le cerveau. Si je la laisse faire, je suis perdue.

Pour l'instant, je me tais. Je suis bien trop sonnée pour partir au front. Je ne suis pas armée pour ce combat-là. Au contraire, c'est comme si toutes mes forces m'abandonnaient. Le jour, je fais face. Devant les enfants, je n'ai pas le choix. La nuit, j'erre d'un cauchemar à l'autre. Je rêve qu'on divorce, que je suis à nouveau célibataire, qu'on m'invite à des dîners où l'on m'assied en bout de table, que je sors avec des hommes dont je ne sais rien et à qui je n'ai rien envie de dire. Je comprends qu'il faut parler, raconter qui on est, séduire, se vendre, mais j'en suis incapable. Je vis seule, Vincent a refait sa vie mais je n'en finis pas de défaire la mienne. Tu vas rire, dans mes rêves j'ai changé de métier. Je suis devenue bibliothécaire, incollable sur tous les livres de la section

« romance ». Certaines nuits, j'ai pris vingt kilos. Dans d'autres, je suis anorexique, j'ai perdu mes dents, mes cheveux, je fume des gitanes sans filtre et je vis dans mon lit. Le matin, je me réveille en pleurant, mais je sens le souffle de Vincent sur ma nuque, alors je me dépêche de sortir du lit pour qu'il ne remarque pas combien mes yeux sont rouges.

Je ne lui ai rien dit, je n'ai fait aucune remarque, mais je sens bien que je suis différente. Je me suis raidie. Vincent a dû deviner que je n'étais pas dans mon assiette. Il me semble particulièrement prévenant. En temps normal, j'aurais dit attentionné, mais là, je le sens plutôt attentif, comme s'il était sur ses gardes et pressentait tout ce que j'ai deviné.

Tout est tellement limpide, quand j'y pense ! Je suis une imbécile, Molly. J'aurais fait un piètre détective. Comment ai-je pu ne pas remarquer que Vincent, qui a toujours ignoré où il avait posé son portable, veille à ce qu'il ne quitte jamais son champ de vision ? Il l'accompagne partout maintenant, même et surtout dans la salle de bains où les robinets coulent à flots de plus en plus bruyants. Non, je ne suis pas paranoïaque. Simplement, toutes ces choses que je n'avais pas remarquées, en tout cas pas consciemment, explosent dans mon cerveau et devant mes yeux en très gros plans, en 3D et en Technicolor. Vincent oublie ses rendez-vous médicaux, lui l'hypocondriaque, en revanche il pense à passer chez le coiffeur, alors que d'habitude je le force à y aller. Il porte une nouvelle eau de toilette, alors qu'il ne jurait que par son *English Fern* de chez Penhaligon qu'on était allées acheter toutes les deux pour lui à Londres et que tu avais tenu à payer, car tu avais raté son anniversaire. Il s'est acheté une collection de chemises, alors qu'il déteste porter des habits neufs. Il est guilleret, distrait, léger. Surtout, je le sens indisponible, vague, flou, ailleurs…

Je n'arrive plus à y croire, à espérer que demain sera un autre jour. Je perds patience. Tu connais ma devise : « La meilleure défense, c'est l'attaque. » Elle n'est pas très éloignée de la tienne : *The best way out is always through*, c'est-à-dire « Pour t'en sortir, fonce dans le tas ».

Molly, il faut que j'agisse, que je prenne une décision, que je fasse quelque chose. Je n'en peux plus d'attendre. Attendre que tu te réveilles. Attendre qu'il m'annonce ses envies d'ailleurs.

Puisque je sens qu'il désire avoir le champ libre, je le lui laisse. Tant pis si c'est suicidaire. C'est moi qui m'absente. Je multiplie les déplacements, au grand dam des enfants qui détestent me voir partir et font la tête dès qu'ils aperçoivent ma petite valise rouge, celle que je sors lorsque je voyage sans eux. Benoît ouvre les tiroirs, il m'assiste tristement, tandis que Clara, toujours plus radicale, part se jeter dans les jupes de Dada, la nounou, qui lui fait sauter des crêpes dès qu'elle la sent triste. Et j'enrage de la voir gaver ma fille, mais je lis dans son regard que si je n'étais pas si souvent absente, elle n'aurait pas besoin de lui offrir des plaisirs de substitution, alors je laisse faire, penaude, coupable.

Je sens ma vie qui m'échappe comme de l'eau que j'essaierais de retenir dans mon poing fermé. Je m'enfuis. Sans toi, Molly, je ne sais pas vers qui me tourner. Je ne peux confier ça à personne d'autre que toi.

Je crois que je ne me suis jamais sentie aussi seule.

Je dors dans des chambres d'hôtel impersonnelles dans lesquelles je fais brûler l'encens dont Vincent raffole et qui me fait me sentir chez moi. J'essaie de m'évader dans les films que je regarde mais je n'en supporte plus aucun. Les comédies m'exaspèrent, les malentendus m'oppressent, les quiproquos me donnent mal au ventre, les drames m'indiffèrent, la science-fiction m'angoisse. Je ne m'intéresse à aucun suspense. Je suis concentrée sur ce qui encombre ma vie, mon couple, ma famille. L'avenir me terrorise, Molly. Une vie sans lui ? Cela n'a aucun sens.

ENFIN !

Tu es enfin consciente, enfin réveillée, enfin autorisée à recevoir quelques visites.

J'arrive !

Je suis enchantée d'aller à ton chevet avant tout le monde. Seuls la famille et les *boys* ont eu ce privilège. J'ai promis de donner de tes nouvelles à tes trois autres copines, de les appeler dès que je sortirais de l'hôpital.

Ce matin, je me suis levée très tôt, j'ai imprimé ces pages, et je les ai rangées dans une pochette du même rose vif que celui de tes étiquettes de bagages. Je suis sûre que cela va te faire éclater de rire. Je viens d'effacer celles qui concernent Vincent. Pour l'instant on s'en fiche, de ma vie de couple. C'est toi qui comptes, toi ma revenante.

Tu seras restée plus de trois mois égarée sur ta planète Virgule, c'est presque un record dont tu te serais bien passée, mais on va vite oublier tout ça.

Molly, je suis trop excitée pour avoir la patience de me relire. Toutes ces phrases n'ont sans doute plus aucun sens, maintenant que tu es réveillée. Je te les apporte quand même. C'est ma façon de te montrer, concrètement, que je n'ai pas cessé de penser à toi.

Je ne sais rien de l'état dans lequel tu es. Je ne veux pas y réfléchir. Je veux te voir et décider par moi-même comment je te sens, comment je te trouve. Je sais que tu as repris connaissance depuis trois semaines, que tu reconnais ta famille. Tu as été transférée dans un autre hôpital, à deux heures de Manhattan. Je ne sais pas si tu as été prévenue de ma visite. J'espère que non. Tu as toujours adoré les surprises.

J'ai la tête qui tourne, les oreilles qui bourdonnent, la gorge sèche. Les visites sont interdites après dix-huit heures. Je n'ai même pas pris le temps de passer à l'hôtel déposer ma valise. De toute façon, la consigne est de ne pas rester dans ta chambre plus de quinze minutes, car tu es trop fatiguée pour soutenir une conversation. J'ai les mains moites. Je tremble un peu. Si le chauffeur de taxi était fumeur, je crois qu'exceptionnellement je lui aurais demandé une cigarette. Est-ce que tu t'es remise à fumer ? Est-ce qu'ils t'ont coupé les cheveux ? Et tes ongles ? Ils doivent être longs, pour une fois que tu n'as pas pu les ronger. Est-ce que tu as maigri, grossi ? Est-ce que tu as déjà le droit de porter un de tes pyjamas d'homme rayés que j'adore, ou bien est-ce que tu as une blouse d'hôpital blanc cassé comme on en voit dans les films américains, qui se ferme avec un nœud sur le côté gauche ? Je m'aperçois que j'ai évité de t'imaginer, concrètement, jusqu'à maintenant. J'ai les jambes qui flageolent. C'est toi la malade et c'est moi qui ai peur.

Le taxi me raconte qu'il connaît bien la route qui mène au centre médical, que c'est un établissement réputé, spécialisé dans les rééducations lourdes. De quoi il me parle ? Qu'est-ce que cela veut dire ?

Cette formule toute faite m'exaspère. C'est quoi, cet adjectif opaque ? « Lourde », c'est du politiquement correct pour ne pas dire « grave » ?

J'entrouvre la fenêtre et j'aspire l'air humide. Il ne va pas tarder à neiger. Je ferme les yeux. Je n'ai jamais eu autant envie d'avoir la foi qu'en cette seconde.

« Par pitié, faites que tu sois bien. »

Le taxi du retour, c'est la fille de l'accueil qui l'a appelé. Le chauffeur doit avoir l'habitude. Il a noté l'adresse, mis sa musique à fond et il trace dans la nuit sans me jeter un regard. Pelotonnée à l'arrière, je regarde le paysage défiler. J'aurais bien aimé pleurer, ça me soulagerait. Je n'y arrive pas. Je passe le trajet prostrée, frigorifiée, à dodeliner au rythme des nids-de-poule et des mélopées hindoues que le chauffeur fredonne.

Ça ne me dérange pas. Je n'entends pas les sons de la voiture.

J'ai ta voix en boucle dans les oreilles.

Une voix pâteuse qui me chuchote : « Tu sais que j'ai failli mourir ? »

Tu me l'as répété quatre fois.

Cette peur qui nous a fait trembler durant de longs mois, tu la découvres à peine.

Pour toi, c'est une information énorme, ahurissante.

Tu as failli mourir et tu n'en reviens pas.

Quand je suis entrée dans ta chambre, dès que tu as vu mon visage, tu as poussé une sorte de cri minuscule, tu as tendu la main, la joue, tu as humé mon parfum, tu l'as reconnu et ça t'a fait sourire, tu as souri avec les yeux et j'ai failli fondre en larmes. Je ne crois pas que cela t'ait surprise de me voir et j'ai senti que cela te faisait plaisir. Tu as murmuré mon nom mais ton filet de voix était si fin, presque inaudible, que je me suis approchée tout à côté de toi, je me suis penchée pour te parler à l'oreille. Tu écoutais mes paroles, tu clignais des paupières, tu hochais la tête, tu avais les yeux brillants.

Je n'ai pas osé sortir la pochette rose de mon sac pour la poser sur ta table de nuit déjà trop encombrée. Cela aurait été incongru dans cette chambre spartiate à la peinture écaillée qui sentait la médicalisation, le manque d'aération et dont le chauffage par le sol m'a tout de suite asséché les muqueuses.

J'ai fait de mon mieux pour ne pas te montrer le choc que j'ai ressenti en te découvrant sur ce lit métallique.

Ma Molly, on t'a massacré les cheveux, qui sont coupés dans tous les sens, ça n'est pas grave, mais ton visage… il a rétréci. Il est encore livide, presque translucide. C'est un visage arraché à la mort mais pas encore revenu à la vie, un visage aux yeux cernés dans lesquels je lis une peur terrible qui me pénètre et me troue le ventre.

Tu essaies d'esquisser un baiser mais tes lèvres ont du mal à effleurer ma joue. Ta mère, qui, comme je m'y attendais, est à ton chevet, s'est levée pour m'accueillir. Elle est plus petite que toi, plus ronde aussi, surtout dans ce tailleur beige qui la boudine. Elle est telle que tu me l'as toujours décrite, avec ses cheveux auburn trop laqués, ses créoles aux oreilles, sa *French manucure* et ses baskets informes. Elle m'enveloppe dans ses bras comme si j'étais quelqu'un de sa famille, m'interrompt dès que je la salue : « Ah non, pas de madame entre nous, tu *dois* m'appeler Dora » et prend la conversation en main. Elle sait très bien qui je suis même si on se voit pour la première fois. Elle loge dans un hôtel tout à côté, même pas cinq minutes en voiture, et heureusement, juste en face, il y a une *wonderful steakhouse* où elle a ses habitudes. Ton père ne peut venir passer du temps avec toi que les week-ends, tandis qu'elle reste à tes côtés *around the clock*. Elle a donc la chance de côtoyer en permanence l'équipe médicale qui s'occupe de toi. « Et grâce à eux, Molly va faire *tellement* de progrès ! » Son enthousiasme forcé est oppressant. C'est comme si sa bouche aspirait tout l'air de la chambre. Tu as fermé les yeux. Je viens m'asseoir à côté de toi. Je te prends la main droite. Je la sens trembler dans la mienne. Ta main gauche est posée sur le drap. Elle ne bouge pas. Ta mère la recouvre avec la sienne. « Et tout cela va prendre *un peu* de temps. »

Elle me regarde droit dans les yeux. J'ai l'impression qu'elle essaie de me dire quelque chose. Je ne vois pas ce que ça peut être.

L'infirmière entre sans frapper, et devant son visage fermé je comprends que je dois prendre congé. Vite, je me lève, je me penche sur toi, je te murmure encore quelques mots à l'oreille, je te dis combien je tiens à toi, Molly, ma Molly, je t'aime tellement, je sens ton souffle contre ma joue et, comme je l'ai toujours fait parce que cette habitude t'amuse, j'ajoute : « Et vite, mes deux bises de Parisienne. »

Je pose mes lèvres contre tes joues.

L'une est très chaude. L'autre pas du tout.

Ta mère continue à me fixer. Son regard va de moi à ta main gauche, toujours posée sur le drap. Elle n'a pas bougé, depuis que je suis entrée dans ta chambre.

Ta main immobile. Ta joue froide.

Ta jambe inerte, sous la couverture.

Ta bouche, Molly, dont un coin n'arrive pas à sourire.

Peter et Paul disent qu'ils avaient décidé de ne pas me prévenir, pour que je sois le plus naturelle possible devant toi. Ils espéraient même que la visite serait trop brève pour que j'aie le temps de remarquer quoi que ce soit. De toute façon

– et dans le téléphone la voix de Peter monte en volume, comme pour mieux me convaincre –, les médecins n'ont pas perdu espoir de te voir récupérer de la sensibilité du côté gauche. C'est pour cette raison que tu as été transférée dans cette unité spécialisée. Avec une rééducation intense, ils disent qu'ils peuvent obtenir des résultats inespérés. C'est un véritable combat qui t'attend et que vous allez mener ensemble.

Assise devant mon ordinateur, je tape ces mots comme on verse des larmes, sans discontinuer, presque sans respirer.

Je ne sais plus très bien à qui j'écris, exactement.

À toi, bien sûr.

Mais pas à celle que j'ai vue aujourd'hui, immobile, comme échouée, sur son lit trop raide. Ça, je n'y arrive pas. Disons que, pour l'instant, je parle à ton cerveau, qui fonctionne très bien. Tu me reconnais, tu m'as tout de suite demandé des nouvelles de Vincent et des enfants sans te tromper dans leurs prénoms, tu t'es même souvenue que Benoît allait avoir six ans. J'ai vu, j'ai senti en tout cas la lueur de l'ancienne

Molly dans ton regard. Même si ta voix a changé, même si ton regard semble hanté par une terreur qui me paraissait inexplicable tant que je n'avais pas remarqué ta main gauche, je sais qu'au fond de toi tu es toujours là.

Je t'ai retrouvée, infiniment fragile et cabossée, mais toujours proche, si familière. Tu m'as tellement manqué.

Il est hors de question que je décrive ma visite à qui que ce soit. Je préfère éteindre mon portable. Me laisser un peu de répit, c'est aussi prolonger de quelques heures l'illusion de la Molly que tes trois amies espèrent retrouver. Qu'est-ce que je pourrais leur dire sans mentir ? La vérité ?

J'aurais voulu enregistrer le message suivant, à l'intention de ceux qui appelleraient à l'hôpital pour prendre de tes nouvelles : « Molly n'est pas là pour le moment. Elle s'est absentée d'elle-même. Si vous la cherchez, mieux vaut la retrouver dans vos souvenirs. »

Les miens ont disparu, momentanément effacés par ta voix déformée qui me chuchote à l'oreille : « Tu sais que j'ai failli mourir ? »

Cette nuit, je n'y suis pour personne.

Quatre heures du matin. Impossible de dormir. Couchée devant une chaîne d'information en continu, j'ai coupé le son et je me fais l'avocat du diable. Je me mets à ta place. Quand on est adulte, autonome, globe-trotteuse et qu'on se retrouve infantilisée par une mère hyperprotectrice et une infirmière maussade, quand on est sous le choc de ce qui nous est arrivé, quand on se retrouve dépendante d'un corps qu'on ne maîtrise plus comme avant, quand le cerveau peine à digérer toutes ces nouvelles données, est-ce qu'on peut trouver en soi l'énergie de livrer une telle bataille ? Pauvre Molly, tu sembles si démunie. Même la modulation de ta voix a changé. Elle m'a semblé plus sourde, plus basse.

Normalement, j'aurais appelé Vincent, pour tout lui raconter. Mais je n'arrive pas à lui parler. Je ne sais plus comment me comporter avec lui. Il y a peu d'options possibles et, tu me connais, je me suis déjà joué tous les scénarios. L'affronter me soulagera mais le libérera de la crainte qu'il peut avoir de me faire du mal. N'ayant plus besoin de se cacher, peut-être qu'il voudra vivre cette histoire encore plus pleinement ? Me taire exigerait de moi un effort surhumain. Je crains que la rancœur ne me rende agressive, ce qui apporterait de l'eau au moulin de l'autre, qui a déjà l'avantage d'être la plus jeune et qui deviendrait aussi la plus gentille.

Molly, tu me l'as souvent reproché et tu as sûrement raison, mais j'ai tellement pris l'habitude de raisonner en référence à lui, en fonction de lui, par rapport à lui ! C'est mon partenaire, mon socle, ma base, celui à qui j'envoie toutes mes balles. Pour la première fois après vingt ans de vie commune, je me retrouve seule sur la balançoire sans qu'il soit assis en face. Et je ne te parle pas des enfants. Est-ce qu'un couple peut se faire souffrir sans qu'ils en soient les victimes collatérales ? Si c'était possible, ça se saurait.

Déjà qu'ils se plaignent que je sois trop souvent absente…

Je ne te l'ai jamais racontée, Molly, cette fameuse nuit. Je ne m'en vante pas. J'ai bien trop honte. La pire nuit de ma vie de mère. Celle où je me suis sentie absolument coupable. Clara avait trois ans à peine. Elle s'était couchée, fiévreuse. Je l'ai entendue tousser dans son sommeil. J'ai ouvert la porte de sa chambre, je me suis penchée sur son lit, elle a ouvert les yeux, mais au lieu de se blottir dans les bras que je lui tendais, elle s'est tournée sur le côté, le visage fermé, en chouinant : « Pas toi. Je veux Dada. » J'ai tenu bon. J'ai expliqué que, la nuit, les Dada du monde entier dorment, alors que les mamans se lèvent quelle que soit l'heure pour faire des câlins et soigner les bobos. Elle a fini par se laisser cajoler et s'est rendormie contre ma poitrine. Je l'écoutais respirer, blottie contre moi, je sentais sa tête chaude contre mon cou et je mesurais l'étendue des ravages. Mener de front un métier et une vie de famille était donc un mythe, un leurre. Un enfant ne se délègue pas. Il a besoin de toi, corps et âme. Si tu es absente, il aura besoin d'une autre. C'est ainsi. La nature a horreur du vide.

Pourtant, les livres consacrés à l'éducation le martèlent : c'est important pour des enfants d'avoir une mère épanouie. Et si ce qui m'épanouit, moi, ce n'est pas de m'occuper exclusivement de mes enfants du matin jusqu'au soir, mais aussi de travailler, de voyager, de faire fonctionner mes neurones et de me sentir exister par moi-même ? Qu'à cela ne tienne : c'est pour cela que les Dada ont été inventées. Elles sont difficiles à trouver, se rendent indispensables, te tiennent en otage, et te supplantent dans le cœur de tes enfants. Elles détiennent la clé de l'harmonie de ta famille, une clé qui vaut de l'or et tu y mets volontiers le prix, sans comprendre que tu y perds plus qu'elles n'y gagnent. Bien sûr, il y a une vie en dehors d'elles : les dimanches, les congés, les vacances et l'école. Peu à peu, le temps passera, les enfants grandiront. Un jour les Dada quitteront ton foyer. Puis, ce seront tes enfants qui partiront.

En attendant le pli a été pris. Celui de tes absences. De ta défaillance.

Voilà, Molly, tu as échappé à ça. C'est le lot des mères qui travaillent. Une contribution spéciale, une cuillère à soupe d'angoisse quotidienne qui vient s'ajouter à toutes les autres. Les hommes n'ont pas à digérer cette potion-là.

Cette nuit, j'ai bien conscience que tu échangerais sans hésiter ma vie contre la tienne, mes angoisses contre ton traumatisme, mes futilités conjugales contre ta peur concrète du lendemain. Mon avenir est devant moi, avec ou sans Vincent. Le tien est une nébuleuse que tu es dans l'incapacité d'appréhender.

Sur l'écran du téléviseur, une publicité pour Nike s'achève sur son fameux slogan : *Just do it*. Je n'avais jamais remarqué à quel point cette formule est stupide, naïve, mensongère. Exaspérante. Je tends le bras pour faire taire ces idioties. Quand on veut, on peut ? Si seulement cela pouvait être vrai pour toi. Tu as réussi à revenir de ta planète Virgule, Molly. Tu y es parvenue toute seule. Dans ce parcours du combattant, tu vas bien trouver le moyen de réussir la dernière épreuve. N'est-ce pas ?

Tu n'as toujours pas la force de répondre au téléphone, trois semaines après ma visite. J'appelle ta mère, Suzie, Tom et tes trois amies d'Europe qui ont chacune fini par faire le voyage.

Ce que tout le monde raconte va dans le même sens.

Ce n'est pas encourageant.

Tu passes ton temps allongée, sans dormir, les yeux dans le vague. Tu ne veux pas qu'on allume la télévision. Tu ne lis pas les magazines qu'on t'apporte. Tu n'as envie de rien. Et surtout pas de parler. Tu as trouvé en toi assez d'énergie pour renvoyer le rabbin et le psychologue que ta mère avait fait venir. Tu lui as fait comprendre qu'elle était à côté de la plaque, que tu n'avais rien à dire, à personne.

Tu dis que tu as besoin de mettre de l'ordre dans tes pensées.

Tu n'as réclamé que ton iPod. Tu écoutes de la musique en permanence, le casque vissé sur les oreilles. Tu rechignes à ce qu'on te l'enlève, même pour faire tes soins.

Tu ressens de plein fouet le contrecoup de tes semaines de coma. Tu prends la mesure de ce qui t'est arrivé. De ce qui t'attend. Mais au lieu que cela te donne envie de te battre, tu ne fais pas réellement d'efforts. Tu subis tes exercices quotidiens de rééducation. Les médecins disent que le cœur n'y est pas. Tu n'y crois pas. Tu ne te bats pas. Tu trouves l'effort trop douloureux, le résultat trop incertain.

Tu dis que tu as mal, que cet acharnement est inutile.

Tu dis que tu es trop fatiguée, que tu n'y arrives pas.

Molly, qu'est-ce que tu fais ?

Tu ne comprends pas ?

Le temps, Molly, le temps passe, les jours s'additionnent.

Tu ne vas pas mieux.

Tu dis que tu t'en fiches.

Les médecins se découragent. Peter et Paul deviennent pessimistes. Tom prend chaque jour plus d'importance et, à défaut d'avoir officiellement ton poste, il te remplace au quotidien. Il dit qu'il vient te voir tous les trois, quatre jours pour te tenir informée, mais que tu l'interromps en disant que cela ne t'intéresse plus. Molly, j'imagine bien que le cinéma est la moindre de tes préoccupations, mais c'est la perche qu'on te tend pour revenir vers nous, tu comprends ? Il faut que tu la saisisses, même si tu n'en as pas envie. C'est comme pour l'appétit : c'est vrai, je te l'assure, ça revient en mangeant.

Molly, je ne peux pas croire que tu n'aies plus envie de rien, à part de milkshakes au chocolat. Il faut que tu trouves en toi des raisons de te battre. Fais-le pour toi, pour nous, pour les enfants que tu n'as pas encore, pour les plages des mers du Sud qu'il te reste à découvrir, pour les souvenirs qu'il te reste à fabriquer, pour les années qu'il te reste à vivre. Fais-le pour ce miracle qu'ont accompli tes chirurgiens. Fais-le pour que tu ne sois pas revenue de ta planète Virgule en vain.

Fais-le pour rendre un sens à ta vie. Fais-le pour qu'on retourne voir des films et parcourir le monde.

Dans la profession, plus personne n'est mobilisé. Maintenant que tu es sortie du coma, ton cas est moins intéressant. Ce n'est plus une question de vie ou de mort. On dit de toi que tu es sortie d'affaire, que tu te reposes. Jusqu'à quand ? Nul ne le sait. Dans ton entourage, personne ne se risque à un pronostic.

Le communiqué officiel de ta *major company* indique : « Nous lui avons conseillé de prendre le temps qui lui sera nécessaire pour se remettre. » Le temps que tout le monde t'oublie ?

Je ne sais plus quoi te raconter. Cela fait six semaines que je suis allée te voir.

J'ai l'impression de m'adresser à l'ombre de toi-même. J'écris à la Molly que tu ne sembles pas du tout pressée de redevenir.

Tu ne crois quand même pas que je vais te décrire les aléas de mes journées, mes rendez-vous, les films que j'ai vus, les dîners où je suis allée, les voyages que j'envisage, ou d'autres anecdotes plus futiles encore, comme ma voiture qui est tombée en panne dans un tunnel aujourd'hui, alors que je connais les épreuves que tu traverses ?

J'y pense tout le temps. Je sais que chaque matin, après la visite du médecin, on vient te sortir du lit pour que tu essaies de bouger ta jambe, ton bras, ta main gauches. On te fait travailler, d'abord allongée, puis debout sur un tapis de marche. Je sais que tu fatigues très vite, que la tête te tourne, que le sol se dérobe sous tes pieds, que tu as la nausée, envie de pleurer. J'imagine les sentiments contradictoires qui t'envahissent, la détermination de t'en sortir, le découragement devant le travail colossal que cela représente, l'incompréhension de ce qui t'est arrivé, l'hébétude dans laquelle ton état te plonge, la solitude de ta chambre, la présence permanente d'une mère dont tu n'as jamais été proche… Je pense à toi, je te visualise, je te devine, je te sens, et j'ai le cœur serré. Pardonne-moi, je n'arrive pas à te parler d'autre chose. Comparé à ce que tu subis chaque jour, mon quotidien est tellement dérisoire…

Je ne vais pas non plus te déballer ma sale histoire, te raconter les efforts que je fais chaque jour pour ne pas poser de questions à Vincent, la haine que son portable m'inspire, mes nuits sans sommeil, l'argent que je claque bêtement dans des tenues somptueuses que je n'aurai pas l'occasion de mettre, pour le plaisir de me sentir désirable lorsque je les enfile. Je n'ai jamais autant dépensé en soins de beauté, en produits pour le visage, en crèmes pour le corps, une vraie geisha. Seule Clara m'observe et enregistre tous ces détails nouveaux pour elle. Le vernis que j'applique sur mes ongles. Les jupes que je porte soudain plus volontiers que mes jeans. Les chapeaux que, comme toi, je me suis mise à collectionner. Mes nouvelles lunettes. Du rouge à lèvres. Elle a résumé ça à sa manière : « Maman, t'es comme Babar, tu te pomponnes. » Son album préféré est celui dans lequel l'éléphant venu à la Ville s'achète des costumes verts et des souliers vernis dans les grands magasins. À ses yeux, je suis comme le pachyderme. Elle a raison. Je me sens aussi maladroite et déplacée que lui. Je lutte contre l'envie de tout envoyer promener, mais j'essaie de faire bonne figure.

Molly, tu seras heureuse d'apprendre que je suis tes conseils à la lettre. Tu as toujours affirmé que porter des talons aiguilles et une jupe moulante c'était revêtir une tenue de combat, qui te dopait pour affronter une situation délicate. « Je suis obligée de faire des petits pas, de rentrer les fesses, de me tenir droite, la tête haute. C'est comme une armure. Sur douze centimètres, crois-moi, tu es une guerrière. »

Ce matin, quand je suis entrée dans la cuisine, juchée à huit centimètres du sol (plus haut, je n'y arrive pas), Clara m'a regardée de haut en bas et a fait un clin d'œil à son père. « Papa, t'es pas jaloux ? » J'ai ouvert la porte du réfrigérateur pour donner le change et fait semblant de chercher le lait qui trônait déjà sur la table. Vincent a haussé les épaules avec indifférence. Clara a insisté : « Hein, papa ? » Vincent lui a caressé la tête. « Non, ma princesse. La jalousie, ça sert à rien. » Il m'a regardée avec un sourire moqueur, et a ajouté : « Mais tu as raison, maman est très élégante ce matin. » Je me suis concentrée sur la cafetière. Heureusement, Benoît est arrivé tout excité, car la petite souris était passée dans la nuit. Il a posé son cochon en porcelaine sur la table et a demandé à son père de l'aider à le dévisser pour compter sa fortune. Je les regardais faire, et je me suis dit que si la tête de Vincent était une tirelire, je l'aurais secouée et ouverte, pour savoir enfin, précisément, ce qu'il y avait dedans.

Tu es sortie de l'hôpital il y a quinze jours. Il n'est pas encore question que tu emménages dans ton nouvel appartement. Tu es installée chez tes parents, dans la banlieue de Manhattan. J'ai prévu de venir passer le week-end. Malgré l'insistance de ta mère, j'ai décliné son invitation à rester dormir. Elle a eu beau m'expliquer que je ne trouverais rien de mieux pour passer la nuit qu'un motel en bordure de nationale, j'ai tenu bon. Tu sais combien je déteste dormir chez qui que ce soit. Je préfère la solitude d'une chambre à la décoration sommaire et à l'hygiène douteuse, à l'inconfort d'une nuit passée chez des gens. Que je les connaisse intimement ou pas du tout n'y change rien. J'ai toujours peur d'abîmer quelque chose, je n'ose pas me rendre aux toilettes en pleine nuit, encore moins rôder jusqu'à la cuisine en cas d'insomnie, je ne sais jamais à quelle heure il est bien vu de se lever, et puis pourquoi leur montrer ce que j'ai de plus intime, ma tête au saut du lit ?

On avait eu cette discussion cent fois. Au début, ça te vexait, mais tu avais fini par comprendre mes arguments. Tu avais même inventé un dicton à mon intention, que tu avais fait graver sur une règle en bois qui trône toujours sur mon bureau : « Amies pour la vie, le jour mais pas la nuit. » C'est un de mes rares principes et il est inflexible.

Tu n'avais sans doute pas eu le temps de l'expliquer à ta mère.

Je ne t'ai pas parlé depuis ma visite à ton chevet. C'était il y a quatre mois. Tu m'as envoyé quelques mails. Enfin, tu as dû demander à quelqu'un de les écrire pour toi. Des messages chaleureux mais laconiques, qui ne me disent pas comment tu vas vraiment. Le tout dernier mail que j'ai reçu est signé de ton père. Il m'indique l'itinéraire précis pour me rendre de l'aéroport jusqu'à chez vous, mais il s'abstient de toute allusion à ton moral. Il évoque des « progrès ténus mais constants ». Embargo sur tes états d'âme. Je suis d'autant plus pressée de venir te voir.

Hauppauge est une banlieue quelconque, comme j'en ai vu si fréquemment dans des films que j'ai toujours le sentiment, quand je voyage aux États-Unis, de reconnaître les lieux, même ceux où je viens pour la première fois. L'avenue est large, tranquille, bordée de maisons toutes semblables, avec le coin garage sur le flanc droit, le panier de basketball sur le flanc gauche, et le jardinet bien entretenu à l'arrière. Il fait doux ce samedi matin de juin, les fenêtres sont ouvertes, et quelques voitures, portières béantes, s'offrent aux soins méticuleux d'une population exclusivement masculine.

Devant chez toi, la Volvo break a été garée à la va-vite, le gazon n'a pas été tondu et les fenêtres sont closes. En cette matinée radieuse, la maison de tes parents semble repliée sur elle-même.

Une épaisse planche en bois est posée sur toute la largeur des marches du perron.

Je n'ai pas le temps d'en tirer les conséquences que déjà la porte s'ouvre sur la silhouette généreuse de ta mère, sanglée dans un ensemble jogging bleu roi. Ton père est parti en urgence soigner une rage de dents chez des voisins, mais elle est *so happy* que je sois venue et je sens que son enthousiasme n'est pas feint. Elle me serre dans les bras avec une émotion palpable et me chuchote à l'oreille que tu as tellement hâte de me voir qu'elle en est presque jalouse, ce qui la fait rire mais achève de me mettre mal à l'aise.

Serrée dans ses bras, noyée dans les effluves de son parfum capiteux, j'aperçois, à l'entrée du salon, l'objet à l'idée duquel je ne m'étais pas encore faite.

Ton fauteuil roulant.

Un objet aux roues en acier argenté, au dossier en cuir noir, qui obstrue l'entrée.

Dora a suivi mon regard et me désigne le sol beige immaculé de son salon d'un air navré. « Je sais. Et dire que je venais de changer la moquette ! C'est vraiment pas de chance. Ça laisse des traces épouvantables, je ne sais pas comment les faire partir. »

« Entre ! Les pop-corns sont encore tièdes. » Tu es allongée contre trois gros oreillers, dans un lit envahi de magazines, de sacs de bonbons, de chips, de boîtes de chocolats. Ta main droite, qui était plongée dans le sac en papier gras posé devant tes yeux, se saisit de la télécommande que tu tends vers l'écran pour couper le son, mais pas l'image. Tu portes un pull à col roulé en coton violet qui avale ton cou. Tes cheveux ont un peu repoussé mais sont loin d'avoir retrouvé leur longueur habituelle. Ton corps est englouti sous une épaisse couette à fleurs d'un tissu synthétique dont ta mère doit apprécier la nature infroissable. Tu vas mieux, indéniablement. Tu as le regard plus vif, le teint plus clair (tu ne t'es sûrement pas remise à fumer), les joues plus rondes aussi, la conséquence de tout ce grignotage que tu pousses pour me faire de la place à tes côtés. « Viens, allonge-toi à côté de moi. Bienvenue sur l'arche de Molly. »

Tu ressembles un peu à une poupée de chiffon. Chacun de tes gestes se fait au ralenti. Mais tu parles distinctement, avec ce ton sarcastique qui est ta marque de fabrique. Je retrouve enfin ta voix rauque, même si elle est encore faible, cotonneuse, comme à bout de souffle. Je suis soulagée de voir que ton regard ne semble plus revenir d'entre les morts. Mais je n'y lis aucune étincelle. Seulement le poids d'une fatigue indescriptible.

J'ai attrapé un coussin et je pose ma tête contre la tienne. On ferme les yeux en même temps. Enfin, je te retrouve. Tu embrasses ma joue et tu soupires.

« Regarde où on est. Tu te rends compte que j'ai quitté cette chambre à dix-sept ans, pour ne jamais y revenir ? Comme quoi, il ne faut jamais dire jamais. » Tu me désignes le sac en papier. « Sers-toi, j'ai demandé salés, tes préférés. » Je plonge ma main dans les pop-corns. Ton regard fuit le mien. Tu souris tristement. « Tu vois, je parle beaucoup mieux. Mais c'est tout. Je ne bouge pas mieux. »

Voilà. C'est dit. C'est bien toi, cette façon de mettre les pieds dans le plat, de me provoquer. Surtout ne pas réagir. Je hausse les épaules.

« Oui, pour l'instant. » Tu ne réponds rien. Je me redresse. Tu regardes le plafond, le visage fermé. « Ça ne reviendra plus. Et la vie qui allait avec non plus. »

Les larmes sont sorties de mes yeux sans que je puisse les retenir. Elles coulent en silence. Tu diriges à nouveau la télécommande vers l'écran et tu remets le son. Des voix d'enfants vantent des céréales au goût miel-caramel. Tu reprends une poignée de pop-corns et désignes l'écran : « Il est mignon, on dirait Benoît. Il doit avoir à peu près cette taille, non ? Et Clara ? Elle te ressemble toujours ? Tu as des photos ? Ils ont quel âge, maintenant ? »

Je me mouche, j'attrape mon téléphone, je te dis leur âge, je te montre nos souvenirs de vacances, les fêtes de leurs derniers anniversaires. J'essaie de te raconter des anecdotes auxquelles tu fais semblant de t'intéresser. Tu me demandes des nouvelles de Vincent, j'élude en disant qu'il travaille trop. Je te raconte la fin des travaux dans notre maison de vacances, la surprise que je projette de faire à mes parents pour leur anniversaire de mariage. Tu me demandes soudain : « Et Clara, elle a quel âge ? », ce qui me désarçonne car je te l'ai dit il y a moins de cinq minutes. En revanche, tu te souviens parfaitement de l'année où tu lui as offert sa peluche kangourou. Tu me demandes si je connais le chanteur dont le clip passe à l'écran, une chanson douce qui parle d'amour et d'enfance, tu en fredonnes le refrain doucement, sans entrain. Soudain tu te tournes sur le côté droit en fermant les yeux : « Je vais me reposer avant le déjeuner. » Le temps que je sorte de la chambre, tu t'es endormie.

Au rez-de-chaussée, un homme très grand, un peu voûté, s'agite dans le salon, devant une table roulante chargée de bouteilles. « Molly m'a dit que vous aimiez les jus de tomate bien épicés. J'ai mis de la vodka dans le mien, je fais pareil dans le vôtre ? » J'avais vu des photos de ton père, mais je n'avais jamais mesuré à quel point il avait servi de référence dans ta vie. Je crois que tous ceux dont tu as été amoureuse ressemblaient à ce modèle : grand, sec et brun.

Ton père m'observe en inclinant légèrement le visage sur le côté, comme je t'ai toujours vue le faire quand tu te concentres. « Vous voyez, Molly se souvient de vos goûts en matière de cocktail, mais elle a demandé trois fois ce matin quel jour vous arriviez. Elle a toute sa tête, mais sa mémoire immédiate laisse à désirer. Il paraît que ça peut encore s'arranger. » Il me tend mon verre. « Pour le reste, je n'y crois plus. » Sa voix se met à trembler un peu, tout comme son poignet, et il reprend une rasade avant de continuer, en désignant le fauteuil roulant : « Cet objet est là pour de bon. Vous pouvez imaginer tout ce que ça va avoir comme conséquences. » Il hausse soudain la voix en direction de la cuisine où on vient d'entendre une cuillère tomber. « Tu as besoin d'aide, mon chat ? » Il attend une réponse qui ne vient pas et reprend. « Sa mère ne veut pas l'entendre, mais Molly l'a intégré. Trop vite à mon goût. Le kiné me le dit d'ailleurs. Elle ne se donne pas à fond. Et je ne comprends pas pourquoi. Je sais qu'il y a peu de chances qu'elle récupère, mais on a déjà vu des miracles chez des patients qui refusent d'envisager leur vie en fauteuil. Ceux-là se démènent et ils obtiennent des résultats au-delà de toute espérance. » Il se penche vers moi. « Vous comprenez, vous, pourquoi elle s'est découragée si vite ? »

Le son d'une petite cloche le fait bondir sur ses longues jambes et il repose son verre. « Ah ! Ma princesse veut descendre ! Je vais la chercher. »

Je suis assise en face de toi. Tu es calée tant bien que mal par deux oreillers trop mous dans le fauteuil roulant. Ton déjeuner consiste en un jus de carottes que tu bois avec une paille, du poisson blanc bouilli et une purée de pommes de terre. Tu mélanges le tout avec une cuillère et l'effort que tu fournis pour manger est un crève-cœur. Tu ne fais rien pour essuyer le liquide qui coule au coin de tes lèvres et tes parents n'y prêtent aucune attention. À un moment, avec ta cuillère, tu te cognes un peu la joue, sans réagir. Évidemment. Ce côté de ton visage n'éprouve aucune sensation. Le liquide descend le long de la mâchoire, jusque dans ton col roulé. J'ai devant moi une petite fille maladroite, impotente. Tu me souris avec tendresse, alors que je n'arrive pas à regarder ton visage, ta bouche inerte. Ma Molly. J'ai le ventre qui se tord. D'une voix blanche, je demande qu'on m'indique les toilettes et je pars m'enfermer au fond du couloir. Depuis des semaines je t'imaginais comme une patiente de fiction, languissant dans un fauteuil confortable avec un châle sur les genoux, assise près d'une fenêtre, écoutant de la musique ou occupée à écrire sur ton ordinateur portable, le dos droit contre les coussins, l'œil vif sous tes cheveux longs, mais pas ces épaules affaissées, ce visage trop lourd pour ton cou, ce regard épuisé, éteint.

Nous passons l'après-midi dans ta chambre dont j'ai fermé les rideaux pour maintenir un peu de fraîcheur. Je crois qu'on a somnolé toutes les deux devant la télévision, bercées par la musique d'une chaîne consacrée aux clips vidéo. Vers dix-sept heures, ta mère nous monte deux bols de glace. On regarde un match de l'US Open de tennis. Je propose qu'on mette TCM, la chaîne consacrée aux vieux films que tu aimais, mais tu m'expliques que tu n'arrives plus à te concentrer tout le temps que dure une fiction. Tu as un petit sourire en me poussant du coude. « Tu vas être contente : je n'arrive même pas à finir un article dans *People Magazine.* » J'éclate de rire. Cette vanne, c'est la Molly d'avant qui remonte à la surface. Tu baisses le son de la télévision. « Tu sais quoi ? Rien ne m'intéresse. Cela fait des semaines que je somnole toute la journée. Je ne pense à rien et je ne veux surtout pas réfléchir. » Tu as tourné ton visage vers le mien et, pour la première fois depuis mon arrivée, je te sens sur le point de craquer. « Tu disais que j'étais douillette et trouillarde ? Eh bien tu avais raison. J'ai même pas le courage de me foutre en l'air. Je pourrais, hein, il y a des médicaments plein le tiroir. Mais non. Je vais plutôt passer le reste de ma vie à zapper dans mon lit. Ça me reposera, hein ? » Des larmes perlent au coin de tes yeux. « Quelqu'un là-haut a dû jouer à pile ou face et c'est tombé sur moi. » Je te prends dans mes bras, je te berce doucement. « Pleure, ma Molly, laisse-toi aller, ça te fera du bien. N'oublie pas qu'on te bourre de calmants, de sédatifs, il faut que tu laisses passer un peu de temps. » Je murmure ces mots creux qu'on prononce quand on est à court d'arguments. Tu ne te laisses pas consoler longtemps. Tu te redresses pour te moucher, puis tu retombes sur les oreillers que je viens de retaper. Tu te remets à zapper et tu me parles en regardant les chaînes défiler. « Tu ne comprends pas. C'est trop tard. Je vais avoir quarante et un ans. Pour qui veux-tu que je me batte ? Pour le mec que je n'ai pas ? Pour les enfants que je n'aurai plus jamais ? Je suis fatiguée, tu peux dire à ma mère que je voudrais dîner ? »

Je me relève alors que la porte s'ouvre sur l'infirmière, une jeune blonde au sourire étincelant, une trentenaire guillerette, qui te pique la veine droite sans jamais cesser de te parler. « Et comment allons-nous aujourd'hui ? Nous avons une visite de France ? Ah, mais c'est que nous devons être une *very important person* pour qu'on vienne nous voir d'aussi loin ! Ah, Paris ! Chanel ! Ça m'a toujours fait rêver... » En temps normal, ce genre de créature t'aurait exaspérée et on s'en serait moquées ensemble, mais là elle semble te distraire, voire t'apaiser, à moins que ce ne soit l'effet immédiat de l'intraveineuse.

Le dîner, ta mère te le sert à dix-huit heures trente : un bol de consommé et une assiette de pâtes que tu manges dans ton lit, pendant qu'on regarde le top 20 des clips de la semaine. « Tu vois, ça dure deux minutes et demie environ, c'est la durée idéale pour mon cerveau. Je crois qu'il a rétréci pendant mon coma. C'est bien la seule partie de mon corps qui ait maigri, non ? T'es sûre que tu ne veux pas rester dormir ? » J'aurais dû accepter. J'ai bien senti que cela t'aurait fait plaisir. Je t'explique que ton père est déjà passé déposer mon sac au motel, ce qui est une excuse minable car c'est à cinq minutes et je pourrais tout aussi bien retourner le chercher. Mais j'ai absolument besoin de sortir de cette chambre, de ce papier peint rose, de cette moquette immaculée, de cette maison en deuil, de cette peine inconsolable.

C'est dimanche et il fait encore plus beau qu'hier. Dora m'a appelée tôt pour me dire que vous alliez venir me chercher en voiture, que tu avais envie de prendre l'air. Je suis allée t'acheter un bouquet de fleurs au supermarché du coin et je t'attends sur le bord de la route, le visage au soleil. Tu es assise à l'arrière de la Volvo, dans un sweat-shirt gris informe, et j'enrage de te voir renoncer à ta coquetterie habituelle. Tu as l'air de bonne humeur, tu humes les pivoines comme si tu allais croquer dedans et je suis enchantée que ma présence t'ait donné envie de sortir de chez toi.

Quand la voiture pénètre dans un parking géant, je comprends mon erreur. J'avais oublié qu'ici l'expression « se promener » signifie arpenter un centre commercial où l'on peut tout faire : manger italien ou japonais, acheter des bonbons ou des téléviseurs, se rendre chez l'esthéticienne, chez le coiffeur, ou remplir son caddie, les oreilles saturées par les voix de chanteurs du moment. Quoi de plus déprimant que d'avancer dans ces allées que l'air climatisé rend glaciales, en poussant ton fauteuil ?

Mais tu sembles contente de voir du monde, de te sentir dans un univers familier, conçu pour qu'un fauteuil puisse rouler absolument partout, de l'ascenseur du parking aux toilettes du restaurant. Je te trouve plus animée ce matin. Tu fais des commentaires acerbes sur les enfants mal élevés qui hurlent sans que leurs parents y trouvent à redire. Tu t'intéresses aux vitrines. Tu t'achètes une nouvelle eau de toilette, tu me laisses t'offrir un foulard en soie rayé dans un dégradé de bleus qui t'adoucit le teint, du coup tu acceptes de te faire maquiller à un stand, et tu repars avec une trousse bardée de produits. On s'arrête pour admirer une exposition de photos en noir et blanc. Tu humes une odeur de nachos toute proche qui te fait envie. Va pour le restaurant mexicain d'à côté, où tu dégustes un bol de guacamole et une glace au chocolat.

Nous attendons l'addition quand une jolie brune très enceinte se détache du groupe qui passe devant notre table et s'y arrête en poussant un cri : « Molly, c'est toi ? Je le crois pas. C'est moi, Lisa ! Tu me reconnais ? On faisait de la danse classique ensemble en primaire ! » Soudain, elle s'arrête, écarlate. Elle vient d'apercevoir le fauteuil en acier. Molly lui fait un petit sourire. « Je me souviens très bien. Mais je ne suis pas sûre que le tutu m'aille encore. » L'arrivée de la serveuse offre à la pauvre Lisa l'occasion de s'éclipser.

Dora décide qu'il ne faut pas traîner à cause des embouteillages, et tu te laisses pousser sans un mot jusqu'à la voiture. Le trajet du retour se passe dans un silence que la radio country ne suffit pas à combler. Lorsque ton père te réinstalle dans ton lit, il est déjà seize heures. Il ne faut pas que je tarde, si je ne veux pas rater mon vol. Je me penche sur la couette à fleurs, te serre contre moi de toutes mes forces. Je n'ai pas envie de rester, mais je suis désespérée à l'idée de te quitter. J'ai l'impression de t'abandonner, de te laisser tomber. Tu sors de ton sweat gris un papier jaune plié en quatre, avec mon prénom dessus. « Tiens, c'est ma nouvelle devise. Promets-moi de penser à moi tous les jours. » Je promets, je ravale mes larmes, je t'embrasse comme si je ne devais jamais te revoir. Je n'ai jamais quitté personne avec au fond de moi un tel sentiment d'échec, de gâchis.

J'attends que le taxi ait tourné au coin de la rue pour déplier ton mot.

Il est caustique. Direct. Désespérant.

Enjoy while it lasts. It doesn't, « Profite tant que ça dure. Ça ne dure pas ».

Tu as passé l'été chez tes parents, puis à l'automne, il a fallu s'organiser, c'est-à-dire mettre en place ce qui allait devenir ta vie. Ce bel appartement avec sa terrasse plein sud, près de Columbus Avenue, où tu comptais passer, comme tu le disais, « une vie avec vue », a été repensé en fonction du fauteuil en acier. Tu ne peux plus vivre seule. La nuit, le jour, la semaine, le week-end, nurses, masseurs et infirmières se relaient et t'assistent.

Tu n'évoques pas ton quotidien dans les rares mails que tu m'envoies. Tes messages sont tapés en mode SMS, toi qui détestais ça. Je les trouve laconiques, tendres, tristes.

Tu me demandes de te raconter ma vie, mais c'est précisément ce que je n'arrive plus à faire.

À chaque instant, quand je cours dans la rue, quand je monte des escaliers, quand je vais à mon cours de gym, ou simplement quand je me promène, que je prends un café à un comptoir, que je descends acheter le journal, quand je fais la cuisine, quand je couche les enfants, je me dis que je fais toutes ces choses quotidiennes et banales sans y penser alors que tu ne pourras plus jamais les faire, et j'ai envie de hurler d'impuissance et de honte. Honte d'avoir une vie normale quand la tienne a cessé de l'être. Honte d'avoir de la chance. Honte de me sentir vivante. J'ai peur que la moindre anecdote que je pourrais te raconter ne serve qu'à te blesser davantage, qu'en me lisant tu sentes à quel point je profite de chaque seconde de ma vie, quand tu n'es plus libre de la tienne. Du coup je me cantonne à des banalités qui ne disent rien de moi mais qui au moins ne peuvent pas te faire de peine. J'essaie de trouver un ton léger et enthousiaste mais je vois bien que mes mails s'espacent, et deviennent courts, impersonnels, expéditifs.

Tu dois croire que je t'oublie alors que je pense à toi sans cesse.

Tu dois imaginer que je n'ai rien à te raconter alors que j'aurais tellement besoin de te parler...

Tu dois penser que ma vie est douce, joyeuse, et que je suis une épouse comblée, alors que trois mots sur un portable ont fait de moi cette femme tendue, nerveuse, malheureuse dans laquelle je ne me reconnais pas.

Je n'ai toujours pas parlé à Vincent. Je n'y arrive pas.

Tant que les paroles ne sont pas prononcées, les choses qu'elles recouvrent n'ont aucune réalité. Les mots « amant », « maîtresse », « liaison », je ne peux pas les dire à voix haute. Cela nous salirait. J'aurais trop peur qu'ils deviennent irrévocables.

Et puis il y a l'orgueil aussi.

Pas nous. Pas ça. On vaut mieux que ça, tout de même.

Molly, tu aurais été fière de moi.

Ce vendredi, les enfants étaient chez mes parents pour le week-end. Nous devions aller au cinéma, Vincent et moi. Nous étions dans l'entrée, chacun enfilait son manteau. Soudain, j'ai remarqué qu'il tâtait ses poches, promenait son regard.

Moi je savais, bien sûr.

Un peu plus tôt, en rentrant, je l'avais vu poser son journal sur son portable.

J'aurais pu ne rien dire.

Pourquoi est-ce que cela a été plus fort que moi ?

J'ai poussé le journal, saisi l'appareil, et en le lui tendant, j'ai dit : « Je sais ce qu'il y a dans ton portable. »

Il l'a empoché sans rien répondre, avec l'air de celui qui n'a pas entendu, ou pas compris, et qui peut se permettre d'ignorer des phrases qui n'ont aucun sens.

J'ai insisté, sans bouger : « Les messages. La fille à qui tu manques. »

Il est passé, en quelques secondes, de la surprise à l'incompréhension pour finir sur une touche de condescendance. Je lisais sur son visage qu'il réfléchissait très vite, qu'il cherchait la meilleure réponse, la meilleure option possible.

Molly, c'est terrible à dire, mais je te le jure : pour la première fois, en vingt ans de vie commune, Vincent a eu l'air d'un crétin. D'un imbécile.

Avec un sourire qui se voulait fin mais qui n'était que niais, il m'a dit : « C'est privé, les messages.

– Il a sonné pendant que tu faisais la sieste. »

Un blanc. Trois secondes de silence. Une éternité.

Je suis revenue à la charge : « Alors ? »

Il a enfoncé ses mains dans ses poches, sorti ses clés. « Alors... C'est mon jardin secret.

– Le secret est éventé. »

Il a écarté les bras, la mine contrite. Un gamin pris les doigts dans la confiture. « Écoute... Elle est jeune, elle vient de sa province, elle est un peu perdue... Je lui donne des conseils. Elle a l'admiration facile. » Il m'a prise par le bras, a approché son visage du mien, et m'a regardée, enfin, dans les yeux. « C'est rien du tout, d'accord ? Tu me fais confiance ? On y va ? »

Il a passé la séance à me tenir la main comme un collégien qui essaie d'embrasser une fille dans le noir pour la première fois. Je n'ai rien retenu du film. J'étais glacée. J'avais envie de vomir, de hurler, de mordre. Je voulais rentrer à la maison. Mais chez nous, était-ce encore chez moi ?

Cela va faire un an que tu es tombée le long de ta baie vitrée et la profession, qui adore les anniversaires, a choisi celui-là pour te rendre hommage. Rien de sensationnel, pas de quoi sortir les robes longues et affoler les paparazzis. Mais tout de même : je suis conviée à une soirée organisée en ton honneur pour, comme l'indique le carton sur papier gaufré écrit en lettres d'or, « célébrer sa contribution inestimable dans le domaine du cinéma ».

Sur le coup, j'étais dubitative. C'était trop tôt après ton accident. J'osais à peine imaginer ta réaction.

J'avais tort. Je l'ai compris en te parlant au téléphone : tu es enchantée, ravie comme une petite fille qui rêvait d'avoir une poupée Barbie et apprend soudain qu'elle a gagné tout le magasin. Depuis, tu m'envoies tous les trois jours la liste réactualisée et croissante de ceux qui ont accepté de prendre la parole. Tu sembles sincèrement fière et touchée par cette marque de considération.

Je t'ai d'abord prévenue qu'il me serait impossible de me joindre aux festivités, car j'avais accepté des mois plus tôt de faire partie d'un jury dans un festival de province. Finalement, la province ayant changé ses dates, j'en ai profité pour me désister. Je ne te l'ai pas dit. J'ai hâte de voir la tête que tu vas faire, ce soir, quand tu me découvriras dans la salle.

J'ai mis Tom dans la confidence, écrit mon plus joli compliment que j'ai appris par cœur, posé un pantalon noir et des talons dans ma valise. Je me réjouis de découvrir les Hamptons, ce bras de mer à deux heures de route de Manhattan où les New-Yorkais chics aiment partir en villégiature et que Fitzgerald a immortalisé dans ses romans. Tom m'a expliqué qu'il fallait distinguer Southampton, qui abrite les vieilles fortunes, les rentiers, les écrivains, d'East Hampton, devenu le fief des branchés et des nouveaux riches, traders, acteurs et producteurs. Ce sont eux qui ont créé ce mini-festival qui dure le temps d'un week-end et où, chaque année, une personnalité du cinéma est fêtée lors d'un *industry toast*. C'est le genre de soirée où d'éminents professionnels viennent prononcer en l'honneur d'un des leurs des discours qui sont de véritables concours d'éloquence où il s'agit de se montrer humble, malicieux, corrosif, émouvant, généreux et très bon camarade, le tout en dix minutes chrono.

Le Maidstone Hotel est un de ces lieux délicieusement raffinés où il faut réserver un an à l'avance pour passer le week-end. Ma chambre est tendue d'un papier peint rayé beige très tendance, elle sent le bois de rose et j'espère, Molly, que ton lit est recouvert du même édredon gigantesque et moelleux sur lequel il ne faut surtout pas que je m'allonge, sous peine de m'endormir. J'alterne Coca-Cola et expressos serrés, enfermée dans ma chambre, de peur de croiser un de tes proches.

Vers dix-huit heures, Tom vient me chercher pour me conduire dans le grand salon, une pièce aux murs lambrissés de bois, où une soixantaine d'invités sont répartis en dix tables rondes. Sur l'estrade, un écran vidéo et un micro attendent les intervenants. Un best of des chansons de Tina Turner choisi à ton intention résonne dans de vieux haut-parleurs à la balance mal réglée et les basses font trembler les verres à pied posés sur les nappes blanches.

Debout, je t'attends à ta table. J'ai regardé les noms. Tu seras assise avec Peter, Paul, Tom et d'autres collègues, rien que des gens du cinéma. Peut-être cette soirée te donnera-t-elle envie de renouer avec ton ancien métier ? Je sais que pour l'instant tu feuillettes les scénarios sans les lire, que tu ne regardes pas les DVD qu'on t'adresse, que tu ne t'intéresses qu'aux résultats du box-office et aux soirées des Oscars. Ça désole Tom et ça me désespère.

La salle est presque pleine. Les hommes sont en costume sombre, les femmes en tenue de cocktail. Pour une fois, je bénis le formalisme un peu provincial des Américains. À Paris, pour ce genre de soirée, les hommes auraient laissé tomber la cravate et les filles seraient en jean. Là, tout le monde a fait un effort pour être élégant en ton honneur. Je reconnais la plupart des visages. La majeure partie de ta liste a répondu à l'appel. Je prends soudain conscience de la valeur de leur présence. Il s'agit bien d'un hommage que tes pairs sont venus te rendre. Je sens une boule se former dans ma gorge.

Tina Turner a disparu des amplis. Peter et Paul s'emparent du micro sous les applaudissements et s'improvisent chauffeurs de salle. « Merci d'avoir interrompu vos activités professionnelles et d'avoir écourté votre week-end pour être ici en ce dernier vendredi d'octobre. Vous connaissez tous et vous appréciez tous celle que nous nous apprêtons à célébrer. Pour nous, elle compte davantage que le soleil, la lune et les étoiles. C'est pour elle que nous sommes ici ce soir. Mesdames et messieurs, je vous demande de faire un triomphe à miss Molly B ! »

Les deux battants de la porte s'ouvrent sur les roues de ton fauteuil. Tu portes une veste en lamé sur un pantalon noir, un rouge à lèvres un peu trop prononcé qui durcit ton visage, un fard à paupières trop sombre. Tu as des mèches claires dans tes cheveux auburn et ça te va bien. Ton père te pousse au milieu de la pièce, pile en face du micro de l'estrade. Ton visage a surgi sur l'écran. En gros plan, je retrouve ton regard effrayé, ta moitié de sourire.

Les discours se succèdent et, avec eux, les souvenirs. On célèbre ton flair, ta loyauté, ton sens des affaires. Almodóvar a même enregistré un message en vidéo expliquant pourquoi il adore travailler avec toi. Les bandes-annonces des films que tu as achetés défilent. La plupart, nous les avons acquis ensemble. Régulièrement, ton visage sur l'écran est remplacé par des photos. Cette alternance entre ton visage d'avant et celui que tu as ce soir est d'une cruauté qui me fait perdre mes moyens. Quand c'est à moi de parler, j'ai tout oublié de mon compliment bien troussé. J'ai juste une certitude : puisque les autres ont parlé au passé, moi je parlerai de toi au présent. J'empoigne le micro comme si j'allais chanter du blues et j'improvise, pour toi, en te regardant dans les yeux.

« Molly, tu es une des personnes qui comptent le plus pour moi, mais toi qui adores les classements, tu seras désolée de découvrir que tu n'arrives qu'en troisième position dans ma vie personnelle. Le podium est pris d'assaut par mon mari, Clara et Benoît. Désolée… » Les rires sont chaleureux dans la salle. Tu me souris. Tu ne sembles même pas surprise par ma présence. Je me penche vers toi. « Molly, tu fais ce métier avec passion et discipline. Tu es mieux informée que tes concurrents. Est-ce parce que tu te lèves plus tôt, ou que tu te couches plus tard ? Moi qui te suis à la trace depuis des années pour connaître ton secret, je pense l'avoir trouvé. C'est dans ton cœur que cela se passe. Tu y mets plus de cœur que nous tous. Il en est de même pour l'amitié. Tu y mets plus de cœur que les autres. C'est pourquoi je suis fière d'être dans ta vie, d'être ton amie. *Long live, Molly !* »

C'est affreusement banal et facile, mais les Américains adorent les grands mots tels que « cœur », « amitié », « secret ». Je retourne m'asseoir sous les applaudissements. Je ne suis pas fière de moi. J'aurais voulu te parler plus subtilement, avec davantage de panache et de style. Qu'importe, tu as l'air heureuse. Je bois un grand verre d'eau. Mes voisins de table me congratulent. La soirée continue.

Une heure plus tard, nous avons terminé les entrées et le saumon vient d'être servi, mais les hommages continuent sur l'estrade. La chaleur devient étouffante. Les maîtres d'hôtel mènent leur tâche sans tenir compte des discours ni des toasts portés avec un enthousiasme forcé par les intervenants dans un micro qui envoie des sifflements dans les amplis. Je sens que la soirée, légère et chaleureuse au début, est en train de s'enliser. Ton fauteuil a été poussé jusqu'à notre table. Tu es maintenant placée à mes côtés. Tu ne manges rien. Tu m'as confié que tu avais dîné avant, pour que personne ne te voie lutter avec tes couverts. Il n'y a pas de paille dans la coupe de champagne que tu fais semblant de boire. Tu fais aussi semblant de sourire. Ces hommages sont autant de coups de poignard. Ils ne font que te rappeler ce qui ne sera jamais plus. Cette réunion ressemble à un mariage parfaitement organisé où l'on aurait simplement oublié de faire venir le promis. Il n'y a pas de raison de se réjouir, rien à fêter, aucun espoir à l'horizon. La mariée est en noir, et cette soirée vire à l'enterrement de première classe. Celui de ta brillante carrière.

Avant qu'on ne serve le dessert, le fil du micro est tiré depuis l'estrade pour que tu puisses le saisir sans avoir à bouger. C'est le moment pour toi de retourner les compliments. Un petit papier a été posé devant toi par ton père, qui l'a sorti de ton sac. Il contient la liste de tous ceux que tu souhaites remercier, ce que tu fais avec grâce et douceur, avec un mot pour chacun. Ta voix rauque est toujours un peu frêle et l'émotion la fait trembler. Du coup, chacun a cessé de manger et le silence dans lequel nous t'écoutons tous est notre plus belle marque de respect. Mon nom ne figure pas sur ton papier, mais tu me remercies d'être venue et, à ton tour, tu improvises en te tournant vers moi.

« Tu as cru me faire une surprise ce soir, mais je savais que tu te débrouillerais pour venir.

D'ailleurs ton parfum t'a trahie. Je l'ai senti dans le hall de l'hôtel, *my French friend*. Dans ton pays, le drapeau est bleu comme la façon dont tu aimes manger tes steaks, blanc comme l'écran de cinéma avant que le film commence et rouge comme le cœur de notre amitié qui ne cessera jamais de battre. »

Je cache mon visage dans ma serviette. C'est la plus belle chose que tu m'aies jamais dite. Puis tu reposes ton papier et lèves ta coupe de champagne presque pleine. « Merci à tous d'être venus. J'ai adoré cette soirée, comme j'ai adoré chaque seconde passée en votre compagnie. Nous allons bientôt nous quitter. Je vous laisse courir à travers le monde, dans le tourbillon de vos activités. En ce qui me concerne, toute ma vie j'ai rêvé de prendre une retraite anticipée pour aller vivre en Toscane. Ce soir, ainsi que vous pouvez le constater, j'ai déjà rempli la première partie de mon programme. »

Comme s'il avait attendu la fin de ta phrase pour s'élancer, un serveur s'avance vers toi, se prend les pieds dans les fils du micro et renverse à tes pieds son plateau chargé de crèmes brûlées.

Béni soit-il. L'hilarité générale que sa chute provoque nous évite de fondre en larmes.

Tu fais signe à ton père en lui désignant la porte des toilettes, mais tu me chuchotes à l'oreille en mettant ta main droite sur la mienne : « C'est trop d'émotion pour moi. Je vais m'éclipser sans dire au revoir. C'est vrai ce que j'ai dit : j'étais certaine que tu viendrais. Le coup du drapeau, ça fait trois jours que j'y pense. Pas mal, hein ? »

Puisque tu es partie, et que Peter, Paul et Tom reprennent la route vers New York dès ce soir, je décide de boire un dernier verre au bar de l'hôtel avec Suzie. Elle vit à quelques blocs de ton nouvel appartement, elle doit être la mieux à même de me dire comment tu t'en sors au quotidien.

J'aurais mieux fait d'aller me coucher tôt. Selon elle, tu serais devenue « difficile ». Le mot me fait bondir. Qui, à ta place, condamné du jour au lendemain à passer de l'hyperactivité à une immobilité humiliante, ne le deviendrait pas ? Toi, difficile ? Je te trouve au contraire abattue, apathique, résignée. Suzie n'est pas du tout d'accord. Elle me fait de toi un portrait dénué de gentillesse. « Molly a beaucoup changé et vraiment pas en bien. On dirait que tout lui est dû, que le monde doit se plier à ses exigences. Par exemple, elle te fixe un rendez-vous puis elle l'annule à la dernière minute, sans s'excuser. Ou bien, quand tu as pris du temps pour venir la voir, elle te congédie de façon expéditive, sans même t'avoir proposé un verre d'eau, juste parce qu'elle se sent fatiguée. Elle ne fait aucun effort, elle laisse sa télé allumée en permanence et elle la regarde du coin de l'œil même quand on est avec elle, tu imagines comme c'est agréable. Non, je t'assure, elle attend beaucoup des autres, sous prétexte qu'elle est immobilisée… »

Je découvre, scandalisée, que tes copines américaines te laissent tomber à petit feu. Se lassent de tes appels où tu as toujours besoin qu'on te rende un service. Trouvent que ton humour est de plus en plus blessant, que ta compagnie est de moins en moins plaisante, que tu es devenue assez pingre et que tu parles souvent d'argent.

Tom, que j'appelle le lendemain de l'aéroport pour lui raconter cette conversation, essaie d'adoucir ce portrait mais reconnaît que tu peux être difficile, parfois. *She's not always perfectly nice, you know*, « Elle n'est pas toujours parfaitement gentille ».

Je ne décolère pas durant tout le vol du retour. Et pourquoi devrais-tu être gentille ? La maladie ne rend pas meilleur. Le fait de vivre dans un fauteuil roulant ne t'a pas transformée en Mère Teresa. Et c'est tant mieux. Tu es restée la même, sans doute plus caustique, plus brutale, plus cassante, plus radicale, plus impatiente, plus intransigeante. Je te comprends. Maintenant que tu te sais condamnée à la passivité, tu te bats avec la seule arme qui te reste : ton intelligence.

Nous sommes début mars, et New York connaît déjà une douceur printanière. Cette fois, tu m'as donné rendez-vous chez toi. L'immeuble est plutôt accueillant, avec son dais extérieur argenté et son épais tapis bleu, comme il sied aux maisons des beaux quartiers.

Le concierge en livrée m'ouvre la porte vitrée en s'inclinant, ce qui ne l'empêche pas, dans un même mouvement et sans jamais se départir de sa courtoisie, de me jauger, de s'enquérir de mon identité, et d'aller vérifier dans le registre que je suis bien attendue, avant de me sourire en me regardant enfin dans les yeux. « *I see*, vous êtes la Française ? Je suis Mr Dennis. Soyez la bienvenue », et il me devance dans l'ascenseur pour pousser la lourde porte en fer et appuyer sur le bouton de ton étage comme s'il me recevait chez lui.

La chaleur qui règne dans l'appartement me saute à la gorge dès que la porte s'ouvre sur une jeune femme noire, corpulente, boudinée dans un tee-shirt blanc et un jogging rouge scintillant, qui me serre la main sans chaleur avant de me précéder en ondulant mollement des fesses jusqu'au salon où elle m'annonce d'une voix trop forte : « Molly, ton amie est là. » Elle se tourne vers moi et ajoute, incrédule : « Vous êtes vraiment venue *all the way* de Paris ? *I love French men, they are gorgeous !* » Éclatant de rire, elle reste plantée là, les bras croisés, alors que tu m'embrasses, que nous sommes émues de nous retrouver, que je te chuchote des mots tendres à l'oreille. Elle finit par nous interrompre : « Je m'appelle Dinah, vous voulez boire quelque chose ? » Je rêve d'un Coca bien frais, mais je me dis que le thé est ce qui lui prendra le plus de temps à préparer. Elle part s'agiter dans une autre pièce, d'où elle revient moins de deux minutes plus tard avec, posés à la va-vite sur un plateau, la bouilloire à peine tiède, une tasse et un sachet. Elle pose le tout sur une table basse sans prendre le temps de pousser les journaux qui y traînent et se réinstalle aussi sec avec nous, debout, les bras croisés, adossée contre une étagère. Je sais combien tu adores faire infuser ton Lapsang Souchong fumé dans une théière en grès rouge que tu as rapportée de Paris et je m'attends à ce que tu lui reproches sa façon cavalière d'expédier mon thé, mais tu ne dis rien. Tu sembles résignée, ou bien tu es trop fatiguée pour remarquer quoi que ce soit. La présence de Dinah ne semble pas te peser, pas plus que le son de la télévision dont je finis par prendre la télécommande pour en baisser le volume, sans oser pour autant l'éteindre. Tu as l'air heureuse de me voir et, comme d'habitude, tu me poses mille questions sur les enfants, mes parents, nos amis communs, mais tu parais encore et toujours avoir du mal à te concentrer sur mes réponses. Il me semble que ta voix est plus ferme ce matin qu'à la soirée des Hamptons, mais ton regard est plus éteint.

Il fait tellement chaud en tout cas que je commence à avoir la tête qui tourne, et je suis sûre que tu dois en souffrir aussi. Je propose qu'on ouvre la porte vitrée qui mène à la terrasse. « Elle va nous attraper un courant d'air, commente Dinah d'un ton réprobateur. Elle m'a fait un rhume il y a à peine quinze jours. » Cette façon de parler de toi comme si tu étais absente m'exaspère immédiatement. « L'air frais chasse les microbes, vous verrez », dis-je sur un ton définitif. Cela te fait sourire. « Tu as gardé ton *fighting spirit*, à ce que je vois, contrairement à moi. »

Je m'empare de ton fauteuil, je le pousse sur la terrasse et je referme prestement la porte avant que Dinah n'ait le temps de s'aventurer dehors avec nous.

Je soupire bruyamment. « Dis-moi, elle te colle toujours autant ? » Tu te contentes de hausser les sourcils. « C'est compliqué, tu sais. Papa a tellement de mal à trouver des filles honnêtes ! » Tu te mets à me raconter une sordide histoire de porte-monnaie volé par la nurse précédente, tu m'avoues que tu soupçonnes celle d'avant d'avoir fait faire un double de tes clés et que d'ailleurs tu as récemment fait blinder ta porte d'entrée, ce qui t'a semblé hors de prix. « Le pire, ce sont les week-ends, il y a trois filles qui se relaient. Mais tu sais, elles sont gentilles de passer leur temps avec moi. Moi, j'aurais pas fait ce boulot pour tout l'or du monde. » Je lève les yeux au ciel. « Oui, Molly, d'accord, mais t'as pas leur cerveau non plus. » Tu regardes au loin, tristement. « Tu sais, si c'est pour vivre en fauteuil roulant toute la journée, il vaut mieux être décérébrée et ne penser à rien. Je m'entraîne, remarque, je vis avec la télévision allumée toute la journée, ça va bien finir par me ramollir les cellules grises, tu ne crois pas ? » Non, je ne le crois pas, mais ta tristesse me fend le cœur. Tu désignes Dinah du menton. « Tu sais, j'aimerais mieux qu'on soit seules toutes les deux, mais je pense que ça la distrait, elle aussi, de voir du monde. Je suis tellement chiante à vivre que je lui dois bien ça. »

Je me dis que je vais avoir du mal à résister à ta mélancolie et qu'un changement d'humeur s'impose. Je te suggère d'improviser un déjeuner sur ta terrasse. Ton visage s'éclaire et s'anime aussitôt. « On va aller au supermarché italien, ils ont des produits délicieux, je rêve de ta mozzarella-tomates. Tu te souviens que tu m'en avais fait à Paris ? Dinah va nous accompagner, parce que j'ai totalement perdu le sens de l'orientation. »

J'aide Dinah à te transférer dans un autre fauteuil, pliable celui-là, moins confortable mais mieux adapté à la taille de l'ascenseur. Cela nous prend cinq bonnes minutes, et déjà tu as pâli, tu t'essouffles. Je vais te chercher un verre d'eau. Tu le bois d'un trait. Tu fermes les yeux. Voilà. Tu respires mieux.

Maintenant, il faut enfiler ton manteau, ton écharpe. Je te sens fébrile à l'idée de sortir de ton cocon. Dinah, visiblement habituée, te caresse la main, te fait la liste des choses que vous pourriez en profiter pour aller acheter, alors tu décides qu'il faut l'écrire, cette liste, car tu as peur qu'on oublie quelque chose. Je cherche un papier, un stylo. Ton angoisse est telle que, à deux reprises, Dinah doit ouvrir son sac pour te montrer qu'elle a bien pris les clés et le porte-monnaie. Tu l'envoies chercher un autre panier pour tout ranger, car tu penses que celui qu'elle a sorti ne suffira pas. Le tout prend environ vingt minutes.

Quand l'ascenseur arrive, je vois tout de suite qu'il est trop petit pour nous trois, mais avant que je n'aie le temps de proposer de descendre à pied, Dinah me devance. « Vous descendez dire à Dennis de nous aider ? La porte en bas est tellement lourde. » En dévalant l'escalier, je me dis que j'ai jugé Dinah un peu vite. Elle est envahissante, certes, mais elle sait y faire, et je vois à quel point c'est délicat de s'occuper de toi comme il le faut.

L'air est doux sur Columbus Avenue. Dinah pousse le fauteuil et moi je te fais la conversation. Mais je te sens distraite, inquiète. Tu es tendue dès qu'il s'agit de traverser. Et puis un rien t'effraie. Un chien qui aboie, un enfant qui crie, le bruit d'un klaxon, d'une sirène de police. Quand je te fais remarquer la douceur du soleil qui caresse ton visage, que je demande à Dinah de s'arrêter un instant pour que tu en profites un peu, de ce soleil que tu as tant adulé, tu fermes les yeux et tu respires l'air à toutes petites bouffées, comme s'il te fallait être précautionneuse avec tout, même avec des choses anodines destinées à te faire du bien, comme profiter d'un instant de beau temps.

Impossible d'ignorer la nationalité des produits vendus dans la petite surface où nous venons d'entrer. Sur le seuil, un néon clignote aux couleurs du drapeau italien. Les haut-parleurs diffusent des airs napolitains. Derrière la caisse, le patron a la tête d'un Soprano de banlieue. « Tu vas voir, me dis-tu, excitée soudain, leur *burrata* est exceptionnelle ! » Dinah s'interpose aussitôt. « Mais c'est beaucoup trop cher ! La mozzarella est à un prix bien plus raisonnable, surtout si c'est juste pour en mettre des petits bouts dans une salade de tomates. » Gentiment, mais fermement, j'explique à Dinah qu'aujourd'hui c'est moi qui achète, car c'est moi qui vais faire la cuisine. Tu enchaînes et lui demandes d'un ton conciliant si elle veut bien s'occuper du reste de la liste, parce qu'elle ira bien plus vite que moi, qui ignore où sont rangés les produits, et pendant ce temps toi et moi allons nous occuper du déjeuner. Nous convenons de nous retrouver à la caisse. Dinah est maussade mais ne peut qu'obtempérer.

J'en profite pour tout reprendre en main : toi, ton fauteuil et l'humeur des courses. Je te fais respirer des fromages que tu ne connais pas, goûter plusieurs sortes de saucissons, découvrir les crackers au sésame que j'adore et des *grissini* au chocolat dont Clara et Benoît raffolent. Je choisis du bon vin et j'attrape un bouquet de basilic. À ma grande satisfaction, tu as retrouvé le sourire et repris des couleurs. Juste avant d'arriver à la caisse, tu tends le bras droit vers un rayon. « T'as vu, ils ont les meilleures pâtes, le paquet bleu. Dinah ne veut jamais en acheter, elle trouve que ça coûte trop cher, mais tu veux pas en prendre juste un paquet et dire que c'est toi qui as eu l'idée ? Sinon elle sera furieuse. » Je suis distraite par la queue qui s'allonge devant la caisse, je t'écoute d'une oreille, je ne comprends pas de quoi tu me parles, je ne vois pas quel est le problème avec ces pâtes, réputées pour être effectivement les meilleures, de toute façon c'est ton argent que Dinah dépense, et tu achètes ce que tu veux, du coup ça m'énerve et j'en prends deux paquets, avec deux boîtes d'une sauce qui semble appétissante.

Devant la caisse, Dinah me regarde poser mes courses. Elle fonce sur les boîtes bleues dès qu'elles apparaissent sur le tapis, et les enlève prestement. « Ah non, Molly ! On a dit que c'était trop cher. » Toi, contrite, tu baisses le regard sans rien oser répondre. Outrée, je prends sur moi pour rester polie. « Laissez, Dinah, aujourd'hui c'est moi qui invite », dis-je, fermement. Dinah se tourne vers moi, me regarde dans les yeux, puis me toise, de haut en bas. « Bien. Puisque c'est comme ça, je ne sers plus à rien. Je vous laisse. » Elle se penche vers nous, repose les boîtes et, d'un geste théâtral, abandonne les clés et le panier sur tes genoux. Elle se retourne et se dirige vers la porte.

Ton cri, Molly, est gravé à jamais dans ma mémoire.

Un enfant qu'on arrache à sa famille n'aurait pas crié plus violemment.

Les chanteurs napolitains semblent avoir

doublé de volume, dans cette supérette de luxe soudain silencieuse.

Dinah, imperturbable, continue à dodeliner vers la sortie.

Elle s'arrête finalement sur le pas de la porte et s'offre cinq longues secondes de pur mélodrame avant de se retourner.

Cette fois, c'est sur moi qu'elle avance. « Voyez ? Il ne faut surtout pas qu'elle s'énerve. »

Elle se décide finalement à poser ses deux mains sur le dos de ton fauteuil. Elle te regarde triomphalement, se penche vers toi, sort un paquet de mouchoirs, essuie délicatement un filet de bave qui a coulé de ta bouche, puis elle fait surgir de son sac une petite bouteille d'eau minérale et te fait boire à la paille en te caressant les cheveux.

Nous sortons le plus dignement possible du magasin.

Les paquets bleus sont restés sur le tapis de la caisse.

Tu feras mine de somnoler durant tout le trajet du retour.

Dinah est restée six mois de plus. Après elle, il y a eu Sally, puis Nancy. En ce moment c'est Eva, une Portoricaine. Je ne sais pas où on les recrute, si c'est dans une agence. J'ignore si ton père se charge encore de les choisir. De toute façon, cela n'a aucune importance. Elles sont toutes bâties sur le même modèle : patientes, placides, disponibles. Des filles formidables. Des Dada pour adultes qui, fatalement, finissent par prendre le pouvoir. Selon la personnalité de chacune, le chantage prend des formes différentes mais il reste le même. La vie est une jungle. Et toi, ma Molly, tu es désormais comme Babar dans la grande Ville. Tu as perdu tes défenses.

Je n'ai jamais su ce qui s'était réellement passé avec la jeune étudiante. Le portable de Vincent traîne à nouveau n'importe où sans qu'il s'en préoccupe.

C'est à peine s'il pense à le recharger.

Nous n'avons plus jamais reparlé de cet épisode.

Pour la première fois de ma vie, je me suis résignée.

Au lieu d'aller au bout et d'en découdre, j'ai laissé filer.

Par sagesse ou par lâcheté ?

J'en garde la trace en moi.

Une cicatrice indélébile, douloureuse, humiliante.

La jalousie.
J'ai détesté ça.

Tu habites toujours le même appartement. Tu ne t'es jamais remise à travailler.

Le cinéma t'intéresse beaucoup moins qu'avant. Du moins, c'est ce que tu dis. Je crois plutôt que ta mémoire immédiate continue à te jouer des tours. Tu t'es complètement recentrée sur la musique et tu as l'art de dénicher des chanteuses de rhythm'n'blues aussi obscures que talentueuses. Tina Turner n'a pourtant pas perdu sa place de favorite.

Tu n'oublies jamais les anniversaires de tes amies, de leurs conjoints et de leur descendance.

Le jour du mariage de Tom, tu as fini par m'avouer que si tu avais eu à aimer quelqu'un qui lui ressemble, tu te serais peut-être battue davantage.

Tu es toujours la fille la plus caustique, la plus brillante que je connaisse.

La plus directe aussi.

La semaine dernière, je te racontais que j'avais

passé dix heures en avion à côté d'une passagère charmante, dont je n'avais découvert qu'à l'arrivée qu'elle était en fauteuil. « Il y a plein de gens qui se débrouillent seuls malgré leur handicap et qui voyagent. Tu n'as pas envie de revenir en Europe, de revoir Venise ou Paris ? » La réponse fut tranchante : « Tant que je ne peux pas pisser seule, j'irai nulle part. Ça te va ? »

La Molly à qui j'écrivais n'existe plus.

Pourtant, quand je pense à toi, quand je me demande ce que tu dirais, comment tu réagirais à des choses que je vis sans toi, tu es toujours la même.

Battante et conquérante.

Je ne pense jamais à ton fauteuil.

Cette Molly-là ne prend corps que lorsque je te vois.

Quand je suis avec toi, dans ce salon où tu as remis toutes les photos de ta vie d'avant, je constate que tu ne peux toujours pas boire sans paille, que tu as pris du poids, que la télévision reste tout le temps allumée, que tu es accro à

Facebook, Twitter, LinkedIn et tous les réseaux sociaux, que tu n'arrives à te concentrer sur aucun livre, aucun DVD, que tu t'endors parfois au milieu d'une phrase.

Quand je suis avec toi, je redécouvre ta repartie dévastatrice, la précision de tes souvenirs, la pertinence de ton intelligence.

Je retrouve un peu de notre connivence.

Au moment de te quitter, je sens ta tristesse et j'essaie de te cacher la mienne.

Je passe le reste de la journée avec une boule dans la gorge.

J'ai voulu, de toutes mes forces, que notre amitié reste intacte.

Je dois me rendre à l'évidence : c'est loin d'être le cas.

Je manque de courage.

Molly, je te l'avoue.

Il m'est arrivé d'être à New York et de ne pas te le dire.

DU MÊME AUTEUR

Aux Éditions Albin Michel

CAFÉ VIENNOIS, 2006.

L'INCROYABLE HISTOIRE DE MADEMOISELLE PARADIS, 2008.

UN ÉCART DE CONDUITE, 2010.

LA PETITE, 2012.

Chez d'autres éditeurs

PRENDS SOIN DE TOI, Flammarion, 1991.

ADJANI AUX PIEDS NUS, Calmann-Lévy, 2002.

Composition : IGS-CP
Impression : Imprimerie Floch, décembre 2013
Éditions Albin Michel
22, rue Huyghens, 75014 Paris
www.albin-michel.fr
ISBN : 978-2-226-25426-9
N° d'édition : 20948/01. – N° d'impression : 85880
Dépôt légal : janvier 2014
Imprimé en France